Sir Arthur Conan Doyle
(1859-1930)

Sir Arthur Conan Doyle nasceu em Edimburgo, na Escócia, em 1859. Formou-se em Medicina pela Universidade de Edimburgo em 1885, quando montou um consultório e começou a escrever histórias de detetive. *Um estudo em vermelho*, publicado em 1887 pela revista *Beeton's Christmas Annual*, introduziu ao público aqueles que se tornariam os mais conhecidos personagens de histórias de detetive da literatura universal: Sherlock Holmes e dr. Watson. Com eles, Conan Doyle imortalizou o método de dedução utilizado nas investigações e o ambiente da Inglaterra vitoriana. Seguiram-se outros três romances com os personagens, além de inúmeras histórias, publicadas nas revistas *Strand*, *Collier's* e *Liberty* e posteriormente reunidas em cinco livros. Outros trabalhos de Conan Doyle foram freqüentemente obscurecidos por sua criação mais famosa, e, em dezembro de 1893, ele matou Holmes (junto com o vilão professor Moriarty), tendo a Áustria como cenário, no conto "O problema final" (*Memórias de Sherlock Holmes*). Holmes ressuscitou no romance *O cão dos Baskerville*, publicado entre 1902 e 1903, e no conto "A casa vazia" (*A ciclista solitária*), de 1903, quando Conan Doyle sucumbiu à pressão do público e revelou que o detetive conseguira burlar a morte. Conan Doyle foi nomeado cavaleiro em 1902 pelo apoio à política britânica na guerra da África do Sul. Morreu em 1930.

Livros do autor na Coleção **L&PM** POCKET

Aventuras inéditas de Sherlock Holmes
A ciclista solitária e outras histórias
Um escândalo na Boêmia e outras histórias
O cão dos Baskerville
Dr. Negro e outras histórias
Um estudo em vermelho
A juba do leão e outras histórias
Memórias de Sherlock Holmes
A nova catacumba e outras histórias
Os seis bustos de Napoleão e outras histórias
O signo dos quatro
O solteirão nobre e outras histórias
O último adeus de Sherlock Holmes
O vampiro de Sussex e outras histórias
O Vale do Terror

ARTHUR CONAN DOYLE

As aventuras de Sherlock Holmes:

UM ESCÂNDALO NA BOÊMIA

e outras histórias

Tradução de LUCIANE AQUINO

www.lpm.com.br

L&PM POCKET

Coleção **L&PM** POCKET, vol. 107

Título original: *The adventures of Sherlock Holmes* (Este livro foi dividido em dois: *Um escândalo na Boêmia e outras histórias*, vol. 107, e *O solteirão nobre e outras histórias*, vol.112).

Primeira edição na Coleção **L&PM** POCKET: maio de 2005
Esta reimpressão: julho de 2010

Tradução: Luciane Aquino
Capa: Marco Cena
Revisão: Jó Saldanha e Renato Deitos

ISBN 978-85-254-0889-1

D754a Doyle, Arthur Conan, *Sir*, 1859-1930
As aventuras de Sherlock Holmes: Um escândalo na Boêmia e outras histórias / Arthur Conan Doyle; tradução de Luciane Aquino. – Porto Alegre: L&PM, 2010.
192 p. ; 18 cm –– (Coleção L&PM POCKET)

1. Ficção inglesa policial. I. Título. II. Série.

CDD 823.872
CDU 820-312.4

Catalogação elaborada por Izabel A. Merlo, CRB 10/329.

Rua Comendador Coruja 314, loja 9 – Floresta – 90.220-180
Porto Alegre – RS – Brasil / Fone: 51.3225.5777 – Fax: 51.3221-5380

Pedidos & Depto. Comercial: vendas@lpm.com.br
Fale conosco: info@lpm.com.br
www.lpm.com.br

Impresso no Brasil
Inverno de 2010

Sumário

Um escândalo na Boêmia

I

Para Sherlock Holmes ela é sempre *a* mulher. Eu raramente o vi mencioná-la de outra forma. Aos seus olhos, ela eclipsa e domina todas as outras. Não que ele sentisse qualquer emoção parecida com amor por Irene Adler. Todas as emoções, e particularmente o amor, eram detestáveis para a sua fria, precisa e admirável mente. Ele era, presumo, a mais perfeita máquina de raciocínio e observação que o mundo havia conhecido. Mas, no papel de amante, estaria agindo contra seus princípios. Nunca falava das paixões mais suaves, a não ser com desdém e escárnio. Elas eram admiráveis para o observador – excelentes para desvelar os motivos e ações dos homens. Mas, para o dedutor treinado, admitir tais intrusões no seu temperamento delicado e finamente ajustado seria introduzir um fator de distração que poderia lançar uma dúvida sobre todas as suas conclusões mentais. Para alguém com a natureza como a sua, uma poeira num instrumento sensível ou uma rachadura em uma de suas poderosas lentes não seriam mais perturbadores que uma emoção forte. E não havia nenhuma outra mulher para ele senão a falecida Irene Adler, de dúbia e questionável memória.

Ultimamente, eu via Holmes muito pouco. Meu casamento nos havia distanciado. A minha completa felicidade e os interesses domésticos surgidos para o homem que pela primeira vez se vê o senhor de seu próprio lar foram suficientes para absorver minha atenção, enquanto Holmes, que com sua alma cigana rejeitava toda forma de convívio social, permaneceu nos nossos aposentos de Baker Street, enterrado em seus velhos livros e alternando semanas entre cocaína e ambição, o entorpecimento da droga e a furiosa energia de sua natureza perspicaz. Era ainda, como sempre, profundamente atraído pelo estudo do crime, e ocupava suas imensas capacidades e extraordinários poderes de observação seguindo pistas e resolvendo mistérios que haviam sido abandonados sem esperanças pela polícia oficial. De vez em quando, ouvia algum vago relato de seus feitos: de sua convocação a Odessa no caso do assassinato Trepoff, da solução da singular tragédia dos irmãos Atkinson em Trincomalee, e finalmente sobre a missão que cumprira tão delicada e exitosamente para a família real holandesa. Além desses sinais de atividade, no entanto, que partilhei com todos os outros leitores da imprensa diária, eu pouco sabia de meu outrora amigo e companheiro.

Certa noite – foi em 20 de março de 1888 –, retornava de uma visita a um paciente (já que agora havia voltado à minha profissão civil), e meu trajeto me levou a Baker Street. Quando passei pela porta tão familiar, que será sempre associada em minha mente a meu namoro e aos sombrios incidentes do caso *Um estudo em vermelho*, fui tomado pelo agudo desejo de ver Holmes de novo e de saber como ele estava utilizando seus extraordinários poderes. A casa estava bastante iluminada, e, quando olhei para cima, vi a sombra alta e magra passar duas vezes pela cortina. Ele caminhava rapidamente pela sala, com a cabeça baixa e as mãos entrelaçadas às costas. Para mim, que conhecia todos os seus humores e hábitos, sua postura e seu comportamento falavam por si próprios. Ele estava na ativa outra vez. Havia emergido de seus sonhos induzidos pelas drogas e estava excitado pelo cheiro exalado por um novo problema. Toquei a campainha e fui levado ao aposento que havia sido em parte meu.

A recepção não foi efusiva. Raramente era, mas creio que ele estava contente em me ver. Com poucas palavras, mas com um olhar amigável, indicou uma poltrona, atirou-me sua cigarreira e indicou-me as bebidas e o sifão de soda, que estavam no canto. Então, ficou em pé diante da lareira e olhou-me do seu modo singularmente introspectivo.

– O casamento assenta-lhe bem – disse. – Creio, Watson, que você engordou três quilos e quatrocentos gramas desde a última vez que o vi.

– Três quilos e 175 gramas – respondi.

– Creio que é um pouco mais. Só um pouquinho mais, presumo, Watson. E voltou à medicina, pelo que vejo. Você não me disse que pretendia retomar a profissão.

– E como sabe disso?

– Eu vejo, eu deduzo. Como é que sei que você se molhou todo recentemente, e que tem uma criada bastante desajeitada e descuidada?

– Meu querido Holmes – disse eu –, isto é demais. Você certamente teria sido queimado na fogueira se vivesse há alguns séculos. É verdade que fiz uma caminhada no campo na quinta-feira e que voltei para casa terrivelmente sujo. Mas, como mudei minhas roupas, não consigo imaginar como você fez essa dedução. Sobre Mary Jane, ela é incorrigível, e minha esposa já a despediu. E, neste ponto, outra vez falho ao tentar compreender como descobriu isso.

Ele riu sozinho e esfregou suas longas e nervosas mãos.

– É muito simples – disse –, meus olhos me dizem

que no lado interno do seu sapato esquerdo, justamente onde a luz do fogo da lareira se projeta, o couro está arranhado por seis cortes praticamente paralelos. Foram obviamente causados por alguém que muito descuidadamente raspou as laterais da sola para remover lama incrustada. Por isso, veja você, cheguei à dupla dedução de que você andou na rua sob um tempo terrível e de que tinha um exemplar particularmente ruim da criadagem destruidora de sapatos londrina. Sobre a medicina, se um cavalheiro entra em meus aposentos cheirando a iodofórmio, com uma marca negra de nitrato de prata no dedo indicador direito e uma saliência no lado da cartola, mostrando onde escondeu seu estetoscópio, eu teria que ser estúpido se não o declarasse como um ativo membro da profissão médica.

Eu não podia evitar o riso diante da facilidade com que ele explicou o seu processo de dedução:

– Quando ouço suas fundamentações – falei –, a coisa sempre parece tão ridiculamente simples que eu mesmo poderia fazer tais deduções, embora a cada passo do seu raciocínio eu fique desconcertado até que você o explique por inteiro. E assim mesmo ainda acredito que os meus olhos são tão bons quanto os seus.

– Exatamente – ele respondeu, acendendo um cigarro e jogando-se em uma poltrona. – Você vê, mas não observa. A diferença é clara. Por exemplo, você viu muitas vezes os degraus que vêm do hall até este quarto.

– Muitas.

– Quantas?

– Bem, algumas centenas de vezes.

– E quantos eles são?

– Quantos? Não sei.

– Exatamente. Você não os observou. E, mesmo assim, você os viu. Essa é justamente a questão. Sei que há dezessete degraus porque fiz as duas coisas: vi e observei. A propósito, já que demonstrou interesse nesses pequenos problemas, e já que foi gentil ao registrar por escrito uma ou duas de minhas insignificantes experiências, acho que pode estar interessado nisto.

Ele me jogou uma folha grossa de papel de carta cor-de-rosa que estava em cima da mesa.

– Veio na última remessa do correio – disse. – Leia alto.

A nota não era datada e não tinha assinatura ou endereço. Dizia:

"Visitará o senhor esta noite, às quinze para as oito, um cavalheiro que deseja consultá-lo a respeito de um assunto de urgência. Seus recentes serviços para uma das casas reais européias mostraram que o senhor é alguém em quem se pode confiar para tratar de temas que são de alta importância. Essas referências sobre o senhor nós temos de todas as fontes recebido. Esteja em seus aposentos, então, a essa hora, e não estranhe se seu visitante estiver usando uma máscara."

– Isto é certamente um mistério – observei. – O que imagina que significa?

– Não tenho nenhuma informação ainda. É um pecado capital teorizar antes de ter informações. Sem perceber, começa-se a distorcer os fatos para que caibam nas teorias, em vez de deixar que as teorias caibam nos fatos. Mas, voltando à nota. O que deduz a partir dela?

Examinei cuidadosamente a letra e o papel no qual fora escrita.

– O homem que a escreveu era presumivelmente próspero – sublinhei, esforçando-me para imitar os processos adotados pelo meu companheiro. – Este papel não poderia ser comprado por menos que meia coroa o pacote. É peculiarmente forte e rígido.

– Peculiar. Essa é a palavra correta – disse Holmes. – Não é, de forma nenhuma, um papel de fabricação inglesa. Levante-o contra a luz.

Fiz isso e vi um grande *E* com um pequeno *g*, um *P*, e um grande *G* com um pequeno *t* formando um padrão na textura do papel.

– O que significam essas letras? – perguntou Holmes.

– O nome do fabricante, sem dúvida. Ou melhor, o seu monograma.

– De modo nenhum. O *G* com o *t* minúsculo significam *Gesellschaft*, que é a palavra em alemão para "companhia". É uma abreviação costumeira, como a nossa "Cia." *P*, claro, significa *papier*. Agora, tratemos do *Eg*. Vamos dar uma olhada no dicionário *Continental* de termos geográficos. – Ele retirou um pesado volume marrom de sua estante. – Eglow, Eglonitz... aqui está, Egria. Fica em uma região da Boêmia onde se fala alemão, não muito longe de Carlsbad. "Conhecida como o cenário da morte de Wallenstein e pelos numerosos fabricantes de vidro e papel." Ah, meu caro, o que deduz disso? – seus olhos faiscaram, e ele aspirou de seu cigarro uma grande nuvem azul e triunfante.

– O papel foi feito na Boêmia – disse eu.

– Precisamente. E o homem que a escreveu é alemão. Note a construção peculiar da sentença: "Essas referências sobre o senhor nós temos de todas as fontes recebido". Um francês ou russo não teria escrito isso. É o alemão que é tão rude com seus verbos. Só falta descobrir, então, o que deseja esse alemão que escreve em papel da Boêmia e que prefere usar uma máscara a mostrar sua face. E aqui está ele, se não me equivoco, para resolver todas as nossas dúvidas.

Enquanto falava, ouvia-se o som agudo de cascos de cavalos e de rodas rangendo contra o fio da calçada, seguido por um toque rápido da campainha. Holmes assobiou.

– Um par, se vê pelo som – disse ele. – Sim – continuou, olhando pela janela. – Uma carruagem e um par de belos animais, de 150 guinéus cada. Há dinheiro neste caso, Watson, se não houver nada mais.

– Creio que seria melhor que eu me fosse, Holmes.

– De nenhuma forma, doutor. Fique onde está. Fico perdido sem meu Boswell. E isto promete ser interessante. Seria uma pena perdê-lo.

– Mas o seu cliente...

– Não se preocupe com ele. Posso precisar de sua ajuda, e ele também. Aí vem. Sente-se na poltrona, doutor, e conceda-nos a sua máxima atenção.

Passos lentos e pesados, que podiam ser ouvidos subindo as escadas e no corredor, pararam do lado de fora da porta. Seguiu-se então uma pancada forte e autoritária.

– Entre! – disse Holmes.

O homem que entrou dificilmente mediria menos que dois metros de altura e tinha o tórax e os membros de um Hércules. Suas vestes eram ricas, de uma riqueza que na Inglaterra seria considerada de mau gosto. Grandes tiras de astracã atravessavam as mangas e a frente de seu casaco trespassado, enquanto que a capa azul-escuro jogada sobre seus ombros era forrada de seda vermelho-fogo e presa no pescoço com um broche composto por um único berilo flamejante. Botas que iam até metade da panturrilha e que tinham as bordas do cano enfeitadas com rica pele marrom completavam a impressão de opulência bárbara que toda a sua aparência sugeria. Segurava um chapéu de abas largas na mão e usava na parte superior do rosto, chegando até abaixo das bochechas, uma máscara negra que aparentemente pusera naquele exato momento, já que sua mão ainda estava nela quando entrou. A julgar pela parte de baixo da face, parecia um homem de personalidade forte, com lábios grossos e salientes e um queixo longo e reto, que sugeria determinação aos limites da teimosia.

– Recebeu minha nota? – perguntou, com uma voz profunda e áspera marcada fortemente pelo sotaque germânico. – Eu disse que viria.

Ele olhou de um para outro, como se estivesse em dúvida sobre a quem se dirigir.

– Por favor, sente-se – disse Holmes. – Este é meu amigo e colega, doutor Watson, que ocasionalmente faz a gentileza de ajudar-me em meus casos. A quem tenho a honra de me dirigir?

– Pode me tratar como conde Von Kramm, um nobre boêmio. Presumo que este cavalheiro, seu amigo, seja um homem de honra e discrição, em quem posso confiar para tratar de um assunto da mais extrema importância. Se não for assim, eu preferiria comunicar-me com o senhor sozinho.

Levantei-me para ir, mas Holmes pegou-me pelo pulso e puxou-me de volta para a poltrona.

– Serão os dois ou nenhum – disse. – O senhor pode dizer diante deste cavalheiro tudo o que diria somente para mim.

O conde encolheu seus largos ombros.

– Então devo começar – disse ele – pedindo aos dois absoluto segredo por um período de dois anos, quando o assunto deixará de ter importância. No momento, não é exagero dizer que é de tal monta que pode influenciar a história da Europa.

– Prometo – disse Holmes.

– Eu também.

– Desculpe-me a máscara – continuou nosso estranho visitante. – A augusta pessoa que me contratou deseja que seu agente permaneça desconhecido para vocês, e devo confessar que o título pelo qual me apresentei há pouco não é exatamente o meu.

– Eu já estava ciente disso – disse Holmes, secamente.

– As circunstâncias são muito delicadas, e todas as precauções precisam ser adotadas para sufocar o que pode até tornar-se um imenso escândalo que comprometeria seriamente uma das famílias reais européias. Falando claramente, o tema envolve a grande Casa de Ormstein, dos reis hereditários da Boêmia.

– Disso eu também estava ciente – murmurou Holmes, afundando-se na poltrona e fechando os olhos.

Nosso visitante fitou com aparente surpresa a lânguida e reclinada figura do homem que lhe havia sido descrito como o mais incisivo dedutor e mais ativo agente de toda Europa. Holmes lentamente reabriu os olhos e olhou com impaciência para o seu cliente gigante.

– Se Vossa Majestade condescendentemente expuser o seu caso – sublinhou ele –, terei mais facilidade para aconselhá-lo.

O homem saltou da cadeira e andou de um lado para outro da sala em uma agitação incontrolável. Então, num gesto de desespero, arrancou a máscara e atirou-a no chão.

– O senhor está certo – gritou ele. – Sou o rei. Por que tentar ocultar isso?

– Sim, por quê? – murmurou Holmes. – Vossa Majestade ainda não havia aberto a boca quando percebi que meu interlocutor era Wilhelm Gottsreich Sigismond

Von Ormstein, grão-duque de Cassel-Falstein e rei hereditário da Boêmia.

– Mas o senhor entende – disse nosso estranho visitante, sentando-se outra vez e passando a mão sobre a testa alta e branca – que não estou acostumado a tratar desses assuntos pessoalmente. O tema, no entanto, era tão delicado que não era possível confiá-lo a um agente sem colocar-me à sua mercê. Vim incógnito de Praga com o propósito de fazer-lhe uma consulta.

– Então, faça – disse Holmes, fechando os olhos novamente.

– Os fatos são, resumidamente, os seguintes: há cerca de cinco anos, durante uma longa visita a Varsóvia, conheci a famosa aventureira Irene Adler. O nome lhe é sem dúvida familiar.

– Faça a gentileza de localizá-la no meu fichário, doutor – murmurou Holmes, sem abrir os olhos.

Por muitos anos ele adotou o sistema de resumir parágrafos sobre homens e coisas, de modo que era difícil citar um tema ou pessoa sobre o qual não pudesse obter informações imediatamente. Neste caso, encontrei a biografia dela entre a de um rabino hebreu e a de um comandante que havia escrito uma monografia sobre peixes de águas profundas.

– Deixe-me ver – disse Holmes. – Hum! Nascida em Nova Jersey em 1858. Contralto – hum! La Scala – hum! *Prima donna* na Ópera Imperial de Varsóvia – sim! Afastada do mundo da ópera – ah! Vivendo em Londres – exatamente! Vossa Majestade, pelo que entendo, envolveu-se com essa pessoa jovem, escreveu para ela algumas cartas comprometedoras e agora deseja obtê-las de volta.

– Exatamente. Mas como...

– Houve um casamento secreto?

– Não.

– Nenhum papel oficial nem certificados?

– Nenhum.

– Então não consigo entender Vossa Majestade. Se essa jovem houvesse produzido ela mesma as cartas com o propósito de fazer chantagem ou qualquer outra coisa, como provaria a autenticidade delas?

– Elas foram escritas à mão.

– Bobagem! Falsificação!

– Meu papel de carta particular.

– Roubado.

– Meu selo.

– Imitado.

– Minha fotografia.

– Comprada.

– Aparecemos juntos na fotografia.

– Oh, meu Deus. Isso é muito ruim. Vossa Majestade realmente cometeu uma indiscrição.

– Eu estava louco. Insano.

– Comprometeu-se seriamente.

– Eu era apenas o príncipe, então. Era jovem. Tenho trinta anos agora.

– Ela deve ser recuperada.

– Tentamos e falhamos.

– Vossa Majestade deve pagar. Deve ser comprada.

– Ela não venderá.

– Roubada, então.

– Cinco tentativas já foram feitas. Dois arrombadores pagos por mim fizeram uma busca na casa dela. Em uma das vezes, desviamos sua bagagem quando ela viajou. Por duas vezes, foi assaltada. Não houve resultado.

– Nem sinal?

– Absolutamente nenhum.

Holmes riu.

– É realmente um belo probleminha – disse.

– Mas muito sério para mim – respondeu o rei, desaprovando-o.

– Muito, realmente. E o que ela pretende com a fotografia?

– Arruinar-me.

– Mas como?

– Estou prestes a casar.

– Foi o que ouvi.

– Com Clotilde Lothman von Saxe-Meningen, segunda filha do rei da Escandinávia. O senhor deve conhecer os princípios estritos da família dela. Ela é a personificação da delicadeza. Qualquer sombra de dúvida sobre a minha conduta daria fim ao casamento.

– E Irene Adler?

– Ameaça enviar a fotografia a eles. E o fará. Eu sei que fará. O senhor não a conhece, mas ela possui uma alma de aço. Tem o rosto da mais bela das mulheres e a cabeça do mais determinado dos homens. Não há limites que não possa ultrapassar para que eu não me case com outra mulher.

– Tem certeza de que ela ainda não a enviou?

– Tenho certeza.

– E por quê?

– Porque ela disse que a enviaria no dia em que o noivado fosse anunciado publicamente. Isso ocorrerá na próxima segunda-feira.

– Oh, então temos ainda três dias – disse Holmes, com um bocejo. – Isso é muito bom, já que eu tenho um ou dois assuntos importantes para tratar no momento. Vossa Majestade, é claro, ficará em Londres, por enquanto?

– Certamente. O senhor me encontrará no Langham, sob o nome de conde Von Kramm.

– Então lhe escreverei para que saiba como estamos progredindo.

– Por favor, faça isso. Ficarei ansioso.

– E a respeito de dinheiro?

– O senhor tem *carte blanche.*

– Completamente?

– Saiba que eu daria uma das províncias de meu reino para obter essa fotografia.

– E para as despesas de agora?

O rei tirou uma pesada bolsa de camurça de dentro de seu manto e pôs sobre a mesa.

– Há trezentas libras em ouro e setecentas em notas – disse.

Holmes rabiscou um recibo em uma folha do seu livro de notas e entregou-o a ele.

– E o endereço da *mademoiselle*? – perguntou.

– Briony Lodge, Serpentine Avenue, St. John's Wood.

Holmes tomou nota.

– Uma outra questão – disse. – Era um retrato feito em estúdio?

– Sim, era.

– Então, boa noite, Majestade. Estou seguro de que em breve teremos boas notícias. E boa noite, Watson – acrescentou, enquanto as rodas da carruagem real rodavam rua abaixo. – Se fizer a gentileza de ligar amanhã de manhã, às três horas, debaterei esse pequeno tema com você.

II

Precisamente às três horas eu estava em Baker Street, mas Holmes ainda não havia retornado. A senhoria informou-me que saíra de casa pouco depois das oito da manhã. Sentei ao lado do fogo com a intenção de esperá-lo, não importava o quanto demorasse. Já estava profundamente interessado na sua investigação porque, embora não estivesse cercada por nenhuma das horripilantes e estranhas características dos dois outros crimes que eu já havia relatado, ainda assim a natureza do caso e a importância do seu cliente conferiam à história um caráter único. Na verdade, além da natureza da investigação que meu amigo tinha em mãos, havia também algo na sua maneira magistral de dominar uma situação e na sua afiada, precisa dedução, que faziam com que fosse um prazer para mim estudar seu sistema de trabalho e acompanhar os rápidos e sutis métodos com os quais ele destrinchava os mais intrincados mistérios. Estava tão acostumado ao seu invariável sucesso que a possibilidade de ele que falhasse deixara de existir na minha mente.

Já eram quase quatro horas quando a porta se abriu e entrou um cavalariço com aparência de bêbado, sujo, barbado, com o rosto afogueado e as roupas horríveis. Embora eu estivesse acostumado com os incríveis poderes de meu amigo no uso dos disfarces, tive que olhar três vezes antes de ter certeza de que era realmente ele. Com um cumprimento de cabeça, desapareceu dentro do quarto de dormir, de onde emergiu em cinco minutos vestindo um traje de *tweed* e com a habitual aparência respeitável. Colocando as mãos nos bolsos, esticou as pernas em frente ao fogo e riu com vontade por alguns minutos.

– Bem, realmente! – disse, e engasgou-se. Então começou novamente a rir até que foi obrigado a recostar-se na poltrona, sem forças.

– O que foi?

– É muito engraçado. Estou certo de que você nunca adivinharia como passei minha manhã, ou o que acabei fazendo.

– Não posso imaginar. Suponho que andou observando os hábitos e, talvez, a casa da senhorita Irene Adler.

– De fato, mas a conseqüência disso foi um bocado incomum. Vou narrá-la. Saí de casa um pouco depois das oito, nesta manhã, disfarçado como um cavalariço desempregado. Há uma fantástica solidariedade e companheirismo entre os homens que tratam de cavalos. Seja um deles e ficará sabendo de tudo o que precisa saber. Achei Briony Lodge com facilidade. É uma bonita casa de veraneio com um jardim nos fundos, construída na frente do terreno, junto à estrada, com dois pavimentos. Fechadura de segurança na porta. Uma grande sala de estar à direita, bem mobiliada, com altas janelas que vão quase até o chão e aquelas ridículas trancas de janela inglesas que até uma criança conseguiria abrir. Na parte de trás não havia nada mais que merecesse atenção, além do fato de que a janela do corredor pode ser alcançada do teto do estábulo. Fiz a volta na casa e examinei-a cuidadosamente sob todos os pontos de vista, mas sem notar mais nada que pudesse ser interessante.

"Então desci vagarosamente a rua e descobri, como já imaginava, que havia uma cavalariça em uma viela que corre ao longo de um dos muros do jardim. Ajudei os cavalariços a escovarem seus animais e recebi como recompensa dois cêntimos, uma caneca de *half-and-half*[1], duas porções de tabaco vagabundo e todas as informações que pudesse desejar sobre *miss* Adler, além de relatos sobre meia-dúzia de outras pessoas da vizinhança sobre as quais não estava nem um pouco interessado, mas cujas biografias fui obrigado a conhecer."

1. Mistura meio-a-meio de cerveja clara e escura. (N. do T.)

– E Irene Adler? – perguntei.

– Oh, ela virou a cabeça de todos os homens da região. É a coisa mais deliciosa que usa chapéu encontrada neste planeta. Isso é o que dizem os cavalariços de Serpentine, para um homem. Ela vive discretamente, canta em concertos, sai às cinco todos os dias e retorna exatamente às sete para o jantar. Raramente sai em outros horários, exceto quando canta. Tem somente um visitante do sexo masculino, mas que aparece regularmente. Ele é moreno, bonito e enérgico. Nunca aparece menos que uma vez por dia e, freqüentemente, duas. Chama-se senhor Godfrey Norton e é advogado do Inner Temple. Veja as vantagens de ter um cavalariço como confidente. Eles já o levaram das cavalariças Serpentine para casa uma dúzia de vezes e sabem tudo sobre ele. Depois de ouvir o que contaram, comecei a caminhar para um lado e para outro perto de Briony Lodge outra vez, planejando minha estratégia.

"Esse Godfrey Norton era evidentemente um importante fator no caso. Era um advogado. Isso parecia ameaçador. Qual era a relação entre eles e qual o objeto de suas repetidas visitas? Era ela sua cliente, sua amiga ou sua amante? Se fosse o primeiro, teria provavelmente transferido a fotografia para o seu poder. Se fosse o último, isso seria mais improvável. Dessa questão dependia a decisão sobre continuar meu trabalho em Briony Lodge ou voltar minha atenção para os aposentos do cavalheiro no Inner Temple. Era um ponto delicado, que aumentou o campo da minha investigação. Temo chateá-lo com esses detalhes, mas devo mostrar minhas pequenas dificuldades para que você entenda a situação."

– Estou seguindo o seu relato – respondi.

– Eu ainda pesava os fatos em minha mente quando um cabriolé de aluguel entrou em Briony Lodge e um cavalheiro saiu de dentro dele. Era um homem extremamente bonito, moreno, nariz aquilino e usava bigode – evidentemente, o homem sobre quem eu ouvira falar. Parecia estar com muita pressa, gritou para o cocheiro que esperasse e passou pela criada que abriu a porta com o ar de alguém que se sentia verdadeiramente em casa.

"Ele ficou lá meia hora, e eu conseguia vê-lo de relance nas janelas da sala de estar, andando de um lado para outro, falando excitadamente e sacudindo os braços. Dela eu não podia ver nada. Em seguida, ele saiu, parecendo ainda mais agitado que antes. Enquanto subia no cabriolé, puxou um relógio de ouro do bolso e olhou-o com veemência.

"– Vá rápido como o diabo – gritou –, primeiro para Gross and Hankey's, na Regent Street, e depois para a igreja de Santa Mônica, na Edgware Road. Pago meio guinéu se fizer esse percurso em vinte minutos.

"Lá foram eles, e eu ainda estava pensando se deveria ou não segui-los, quando entrou na cavalariça um elegante e pequeno landau, com um cocheiro de casaco meio abotoado, a gravata sobre o ombro e as cintas dos arreios para fora das fivelas. Ele ainda não havia parado quando ela saiu pela porta da casa e entrou na carruagem. Eu a vi apenas de relance naquele momento, mas era uma mulher adorável, com um rosto pelo qual um homem poderia enlouquecer.

"– A igreja de Santa Mônica, John – gritou ela –, e meia libra se você chegar lá em vinte minutos.

"Isso era bom demais para perder, Watson. Eu ainda estava considerando se a melhor opção era correr ou então me pendurar na parte traseira do landau, quando outro cabriolé de aluguel veio pela rua. O cocheiro olhou duas vezes a figura maltrapilha, mas eu saltei dentro do veículo antes que ele dissesse qualquer coisa. 'A igreja de Santa Mônica', disse eu, 'e meia libra se você chegar em vinte minutos.' Faltavam 25 minutos para o meio-dia, e era suficientemente claro o que estava para acontecer.

"Meu cocheiro foi rápido. Não lembro de ter andado mais rápido na vida, mas os outros chegaram lá antes de nós. O cabriolé e o landau e os seus acalorados cavalos estavam diante da porta quando cheguei. Paguei o homem e corri para dentro da igreja. Não havia ninguém lá além dos dois que eu havia seguido e um clérigo de sobrepeliz, que parecia admoestá-los. Os três estavam em pé diante do altar. Caminhei lentamente pela aléia lateral como um vagabundo qualquer que houvesse entrado numa igreja. De repente, para minha surpresa, os três no altar olharam para mim, e Godfrey Norton veio correndo o mais rápido que pôde em minha direção.

"– Graças a Deus – gritou ele. –Você servirá. Venha! Venha!

"– Para quê? – perguntei.

"– Venha, homem, venha, só por três minutos, ou não será considerado legal.

"Fui meio arrastado para o altar e, antes que soubesse onde estava, me vi murmurando respostas que eram sussurradas em meu ouvido, atestando coisas sobre as quais não sabia nada e, em resumo, ajudando no enlace de Irene Adler, solteira, com Godfrey Norton, solteiro. Foi tudo feito em um instante, e logo em seguida o cavalheiro me agradecia de um lado e a dama do outro, enquanto o clérigo sorria na minha frente. Foi a situação mais absurda em que me vi na vida, e a lembrança disso me fez rir agora há pouco. Parece que houve alguma informalidade na licença de casamento, e o clérigo se recusou completamente a casá-los sem algum tipo de testemunha, e a minha conveniente aparição poupou o noivo de ter de ir procurar um padrinho nas ruas. A noiva me deu uma libra e pretendo usá-la pendurada à corrente do relógio como lembrança da ocasião."

– Foi realmente uma inesperada reviravolta nos fatos – disse eu. – E o que aconteceu depois?

– Bem, vi que meus planos estavam seriamente ameaçados. Julguei que o casal partiria imediatamente, e por isso precisava tomar medidas imediatas e enérgicas. Na porta da igreja, no entanto, se separaram, e ele foi para o Temple, e ela para casa. "Devo ir para o parque às cinco, como de hábito", disse ela ao deixá-lo. Não ouvi nada mais. Eles tomaram diferentes direções, e eu saí para tomar minhas providências.

– Que são?

– Um pouco de carne fria e um copo de cerveja – respondeu ele, tocando o sino. – Estive muito ocupado para pensar em comida, e provavelmente estarei ainda mais ocupado esta noite. A propósito, doutor, gostaria de sua cooperação.

– Com prazer.

– Não se importa de violar a lei?

– De modo algum.

– Nem mesmo correndo o risco de ser preso?

– Não, se for por uma boa causa.

– Oh, a causa é excelente!

– Então sou o homem de que precisa.

– Eu tinha certeza de que podia contar com você.

– Mas o que deseja?

– Depois que a senhora Turner trouxer a bandeja, esclarecerei tudo. Agora – disse ele, enquanto se voltava, faminto, para a refeição simples que a nossa senhoria havia providenciado –, preciso tratar do assunto enquanto como, pois não tenho muito tempo. Já são quase cinco. Em duas horas, deveremos estar no local da ação. A senhorita Irene, ou senhora, volta de seu passeio às sete. Deveremos estar em Briony Lodge para encontrá-la.

– E então?

– Deixe isso comigo. Já tomei providências pensando no que vai acontecer. Só há um ponto no qual devo insistir. Você não deve interferir, ocorra o que ocorrer. Entende?

– Devo ser neutro?

– Não deve fazer nada. Provavelmente haverá algum pequeno aborrecimento. Não se envolva. No final, deverei ser conduzido para dentro da casa. Quatro ou cinco minutos depois, a janela da sala de estar se abrirá. Você deverá se postar perto dessa janela aberta.

– Sim.

– E, quando eu levantar a mão assim, você jogará para dentro da sala o que eu lhe der para jogar e, ao mesmo tempo, gritará que há um incêndio. Está me acompanhando?

– Inteiramente.

– Não é nada que requeira muito esforço – disse, tirando do bolso um rolo longo com o formato de um charuto. – É um foguete de fumaça comum, de encanador, com uma cápsula explosiva em cada ponta e que se acende sozinha. Sua tarefa é só essa. Quando gritar dando o alarme de incêndio, atrairá um bom número de pessoas. Então deverá caminhar até o fim da rua, e eu me juntarei a você em dez minutos. Fui claro?

– Devo permanecer neutro, ficar próximo da janela, observá-lo e, dado o sinal, jogar esse objeto, e então dar o alarme de incêndio e esperá-lo na esquina.

– Precisamente isso.

– Então pode contar inteiramente comigo.

– Isso é excelente. Creio que já é a hora de me preparar para o novo papel que preciso desempenhar.

Ele desapareceu dentro do quarto e voltou em poucos minutos disfarçado como um pastor não-conformista, amável e simplório. Seu chapéu preto de abas largas, calças amplas, gravata branca, o sorriso simpático e a aparência geral de curiosidade benevolente eram tais que somente o senhor John Hare[2] poderia se igualar. O que Holmes fizera não era apenas uma mudança de roupas. Sua expressão, seus gestos e mesmo a sua alma pareciam mudar com cada um dos papéis que assumia. O palco perdera um grande ator, assim como a ciência perdera um dedutor preciso quando ele decidira se tornar um especialista no crime.

Passava um quarto das seis horas quando deixamos Baker Street, e ainda faltavam dez minutos para as sete quando nos vimos na Serpentine Avenue. Já anoitecia, e as lâmpadas estavam sendo acesas enquanto passávamos de um lado para outro diante de Briony Lodge, esperando pela chegada de sua moradora. A casa era justamente como eu imaginara pela descrição sucinta de Holmes, mas o local parecia menos tranqüilo do que eu esperava. Pelo contrário. Para uma rua pequena de um bairro quieto, era surpreendentemente movimentada. Havia um grupo de homens malvestidos fumando e rindo em uma esquina, um amolador de facas com sua roda, dois guardas flertando com uma enfermeira e vários homens bem-vestidos que andavam vagarosamente para cima e para baixo com charutos na boca.

2. Ator britânico conhecido no final do século XIX como o maior especialista de Londres em caracterização de personagens. (N. do T.)

– Perceba – sublinhou Holmes enquanto passávamos diante da casa – que esse casamento simplifica as coisas. A fotografia se torna uma faca de dois gumes agora. O mais provável é que ela tenha tanto medo de que seja vista pelo senhor Godfrey Norton quanto o nosso cliente de que ela caia nas mãos da sua princesa. Agora a questão é: onde acharemos a fotografia?

– Onde, de fato?

– É improvável que a carregue consigo. É uma fotografia grande. Grande demais para ser facilmente oculta sob um vestido. Ela sabe que o rei é capaz de dar um jeito para que ela seja assaltada e revistada. Duas tentativas desse tipo já foram feitas. Por isso, podemos concluir que não carrega a fotografia consigo.

– Onde, então?

– Está com seu banqueiro ou seu advogado. Há essa dupla possibilidade. Mas estou inclinado a pensar que não está nem com um nem com outro. As mulheres são por natureza cheias de segredos e gostam de guardar elas mesmas os seus segredos. Por que daria a fotografia para outra pessoa? Ela pode confiar na sua habilidade para guardá-la, mas não pode prever que influências indiretas ou políticas um homem de negócios pode sofrer. Além do mais, lembre-se de que havia decidido usá-la dentro de poucos dias. Deve estar em um local onde possa pegá-la. Provavelmente na própria casa.

– Mas a casa já foi arrombada duas vezes.

– Bobagem! Eles não sabiam como procurar.

– Mas como você vai procurar?

– Não vou procurar.

– O que acontecerá, então?

– Farei com que ela me mostre.

– Mas ela vai se recusar.

– Ela não poderá fazer isso. Mas ouço o ranger de rodas. É a carruagem dela. Agora, siga minhas ordens à risca.

Enquanto falava, as luzes de uma carruagem brilharam na curva da avenida. Era um landau pequeno e bonito que se sacudiu até a porta de Briony Lodge. Quando estava parando, um dos vagabundos da esquina saltou para abrir a porta, na esperança de ganhar uma moeda, mas foi acotovelado por outro que havia se adiantado também, com a mesma intenção. Seguiu-se uma feroz discussão, alimentada pelos dois guardas, que davam razão a um dos vagabundos, e pelo amolador de facas, que defendia apaixonadamente o outro lado. Soou uma bofetada, e em um instante a senhora, que havia descido da carruagem, estava no centro de um círculo de homens que se agrediam uns aos outros com socos e pontapés. Holmes entrou na confusão para proteger a dama, mas, quando conseguiu chegar até ela, deu um grito e caiu no chão, com bastante sangue correndo pela face. Com a queda, os guardas fugiram em uma direção, e os vagabundos na outra, enquanto um bom número de pessoas bem-vestidas que haviam assistido à briga sem interferir se adiantou para ajudar a dama e atender o homem ferido. Irene Adler, como eu ainda a chamarei, havia subido correndo os degraus, mas parou no topo, com a sua soberba silhueta delineada pelas luzes do hall, olhando para a rua.

– O pobre cavalheiro está muito ferido? – perguntou ela.

– Está morto – gritaram várias vozes.

– Não, não, ainda está vivo – gritou outra. – Mas morrerá antes que possa chegar ao hospital.

– Ele é corajoso – disse uma mulher. – Eles poderiam ter levado a bolsa e o relógio da dama se não fosse por ele. Era uma gangue, e das violentas. Ah, está respirando agora.

– Ele não pode ficar jogado na rua. Podemos levá-lo para dentro, madame?

– Certamente. Tragam-no para a sala de estar. Há um sofá confortável. Por aqui, por favor!

Vagarosa e solenemente, foi carregado para dentro de Briony Lodge e deitado no salão principal, enquanto eu cumpria as minhas instruções, parado no meu posto ao lado da janela. As lâmpadas foram acesas, mas não fecharam as cortinas, de modo que eu podia ver Holmes deitado sobre o sofá. Não sei se ele foi atingido por algum remorso naquele momento por causa do papel que desempenhava, mas sei que nunca na vida me senti mais profundamente envergonhado do que quando vi a bela criatura contra quem estava conspirando e a graça e carinho com que atendia o homem ferido. No entanto, seria a pior das traições contra Holmes desistir da tarefa que me havia confiado. Endureci meu coração e tirei o foguete de fumaça de dentro do meu casaco. Afinal, pensei, não estamos fazendo mal a ela. Estamos evitando que ela faça a outros.

Holmes havia se sentado no sofá, e o vi mover-se como se estivesse com falta de ar. Uma criada apressou-se em abrir a janela. No mesmo instante, ele levantou a mão, e, com o sinal, atirei o foguete dentro da sala com o grito de "Fogo!". O alerta mal saiu da minha boca, e a multidão de espectadores, bem e malvestidos – cavalheiros, cavalariços e empregadas – juntou-se a mim num grito conjunto de "Fogo!". Grossas nuvens de fumaça espalharam-se pela sala e saíram pela janela aberta. Vi silhuetas correndo e, momentos depois, a voz de Holmes lá dentro, assegurando que era um alarme falso. Esgueirando-me através da multidão que gritava, dirigi-me à esquina e, em dez minutos, alegrei-me ao sentir o braço do meu amigo enlaçar o meu e, ao me afastar da cena do tumulto. Ele caminhou rapidamente e em silêncio por alguns minutos, até entrar em uma das tranqüilas ruas que levam à Edgware Road.

– Você fez tudo muito bem, doutor – sublinhou ele. – Não poderia ter sido melhor. Está tudo bem.

– Você tem a fotografia!

– Sei onde está.

– E como a encontrou?

– Ela me mostrou, como eu disse que faria.

– Ainda não entendo.

– Não quero fazer disso um mistério – disse ele, rindo. – Foi muito simples. Você percebeu, é claro, que todo mundo na rua era cúmplice. Todos foram contratados para atuar nesta noite.

– Até aí eu havia entendido.

– Quando a briga estourou, eu tinha um pouco de tinta vermelha fresca na palma da mão. Eu me adiantei, caí, levei a mão à face e tornei-me uma vítima. É um velho truque.

– Isso eu também supus.

– Então me carregaram para dentro. Ela foi obrigada a me receber. O que mais poderia fazer? E fui levado para a sala de estar, que era um dos aposentos dos quais suspeitava. Eu tinha dúvidas entre a sala de estar e o quarto dela, e precisava ver em qual estava. Eles me deitaram num sofá, eu pedi ar fresco, correram a abrir a janela, e você teve a sua oportunidade.

– E como isso o ajudou?

– Foi o mais importante. Quando uma mulher pensa que sua casa está pegando fogo, seu instinto imediato é correr para a coisa mais valiosa que possui. É um impulso dominador, e eu já tirei vantagem disso mais de uma vez. Foi útil no caso do escândalo de Darlington, e também no do castelo Arnsworth. Uma mulher casada se agarra ao seu bebê – assim como uma solteira corre para sua caixa de jóias. Estava claro para mim que a nossa dama não tinha nada na casa mais precioso do que o objeto que perseguimos. Ela se apressaria para protegê-lo. O alarme de incêndio foi dado admiravelmente. A fumaça e a gritaria foram suficientes para abalar nervos de aço. Ela reagiu perfeitamente. A fotografia está em um nicho atrás de um painel deslizante, justo acima do cordão direito da campainha. Ela foi para lá num instante, e vi a fotografia num relance quando a retirava do lugar. Quando gritei que era um alarme falso, recolocou-a, viu o foguete, saiu correndo da sala e não a vi desde então. Ergui-me e, pedindo desculpas, escapei da casa. Hesitei sobre se deveria ou não me apossar da fotografia de uma vez, mas o cocheiro havia entrado, e como me olhava fixamente, pareceu-me mais seguro esperar. Uma pequena precipitação poderia arruinar tudo.

– E agora? – perguntei.

– Nosso caso está praticamente encerrado. Virei com o rei amanhã, e com você, se desejar vir conosco. Seremos levados à sala de estar para esperar a dama, mas é possível que, ao aparecer, ela não encontre nem a nós nem à fotografia. Será provavelmente uma satisfação para Vossa Majestade recuperá-la com suas próprias mãos.

– E quando você virá?

– Às oito da manhã. Ela não terá levantado ainda, e isso deixará o campo livre. De qualquer maneira, devemos ficar atentos, porque o casamento pode significar uma completa mudança na sua vida e hábitos. Devo telegrafar para o rei sem demora.

Havíamos chegado a Baker Street e estávamos parados diante da porta. Ele procurava a chave nos bolsos quando alguém que passava disse:

– Boa noite, senhor Sherlock Holmes.

Havia muitas pessoas na calçada àquela hora, mas a saudação parecia ter vindo de um jovem magro de casaco longo que passou apressadamente.

– Já ouvi essa voz – disse Holmes, olhando para a rua fracamente iluminada. – Me pergunto quem terá sido.

III

Dormi em Baker Street naquela noite, e nos dedicávamos a comer torradas e a tomar café quando o rei da Boêmia entrou apressadamente na sala.

– Você está com ela! – gritou, pegando Holmes pelos ombros e olhando avidamente para o seu rosto.

– Ainda não.

– Mas tem esperanças?

– Tenho esperanças.

– Então vamos. Estou muito impaciente.

– Precisamos de um carro de aluguel.

– Não, minha carruagem está esperando.

– Isso simplificará as coisas.

Nós descemos e nos dirigimos mais uma vez para Briony Lodge.

– Irene Adler casou-se – contou Holmes.

– Casou-se! Quando?

– Ontem.

– Mas com quem?

– Com um advogado inglês chamado Norton.

– É possível que ela não o ame?

– Espero que ela o ame.

– E por quê?

– Porque isso poupará Vossa Majestade do temor de incomodações futuras. Se a dama ama o marido, ela não ama Vossa Majestade. Se ela não ama Vossa Majestade, não há razão para que interfira nos vossos planos.

– É verdade. E ainda assim... Bem! Eu gostaria que ela tivesse a minha posição social. Que rainha teria sido! – Ele mergulhou em um silêncio que não foi quebrado até que entrássemos na Serpentine Road.

A porta de Briony Lodge estava aberta, e uma mulher mais velha estava parada nos degraus. Ela nos fitou com frieza enquanto saíamos da carruagem.

– Senhor Sherlock Holmes, eu suponho? – disse ela.

– Sou o senhor Holmes – respondeu meu companheiro, fitando-a com um olhar surpreso e questionador.

– Não me diga! Minha senhora disse que o senhor provavelmente viria. Ela partiu de Charing Cross com o seu marido no trem das 5h15, em direção ao continente.

– Como? – Sherlock Holmes titubeou, branco de irritação e de surpresa. – A senhora quer dizer que ela deixou a Inglaterra?

– Para nunca mais voltar.

– E os documentos? – rugiu o rei. – Tudo está perdido.

– Veremos. – Holmes empurrou a criada e entrou correndo na sala de estar, seguido pelo rei e por mim. A mobília estava espalhada pelo aposento, com prateleiras desmontadas e gavetas abertas, como se a dama as houvesse saqueado antes da partida. Holmes correu para o cordão da campainha, puxou violentamente uma porta deslizante e, metendo a mão dentro do vão, tirou uma fotografia e uma carta. A fotografia era de Irene Adler em vestido de noite e a carta estava endereçada para "Sherlock Holmes. Para quando ele a procure". Meu amigo rasgou o envelope e nós três a lemos juntos. Fora datada à meia-noite do dia anterior e dizia:

"Meu querido senhor Sherlock Holmes, o senhor realmente fez tudo muito bem. Enganou-me completamente. Até depois do alarme de incêndio, eu não tinha nenhuma suspeita. Mas, quando percebi que eu havia me traído, comecei a pensar. Fui avisada sobre o senhor há meses. Disseram-me que, se o rei contratasse alguém, seria o senhor. E o seu endereço me foi dado. E, ainda assim, o senhor fez-me revelar o que desejava saber. Mesmo depois que minhas suspeitas surgiram, pareceu-me difícil pensar mal de um velho sacerdote tão gentil. Mas, o senhor sabe, eu também fui treinada para ser atriz. Um disfarce masculino não é nenhuma novidade para mim, e eu freqüentemente tiro vantagem da liberdade que ele dá. Mandei John, o cocheiro, vigiá-lo, corri para cima, coloquei minhas roupas de caminhada, como as chamo, e desci justamente quando o senhor partia.

"Bem, segui-o até a porta dessa casa e assim certifiquei-me de que realmente havia me tornado objeto de interesse do celebrado senhor Sherlock Holmes. Então, talvez imprudentemente, desejei-lhe boa noite e dirigi-me ao Temple para encontrar meu marido.

"Nós dois concluímos que a melhor saída seria fugir diante da perseguição de tão formidável adversário. Por isso, encontrará o esconderijo vazio quando vier amanhã. A respeito da fotografia, seu cliente pode ficar tranqüilo. Eu amo e sou amada por um homem melhor que ele. O rei pode fazer o que quiser sem pensar em qualquer obstáculo imposto por aquela que ele tão cruelmente feriu. Mantenho a fotografia apenas para me proteger contra qualquer iniciativa que ele possa tomar no futuro. Deixo uma fotografia que ele talvez goste de ter e permaneço, querido senhor Sherlock Holmes, sinceramente sua,

"Irene Norton, *née*[3] Adler."

– Que mulher, oh, que mulher! – gemeu o rei da Boêmia depois que os três havíamos lido a carta. – Eu não lhe disse o quão rápida e decidida ela era? Não teria sido uma rainha admirável? Não é uma pena que não estivesse à altura da minha posição?

– Pelo que vi, ela ocupa realmente uma posição bastante distinta da de Vossa Majestade – disse Holmes friamente. – Peço desculpas por não ter conseguido resolver vosso problema de maneira mais exitosa.

– Pelo contrário, meu caro senhor – respondeu o rei. – Nada poderia ser mais exitoso. Eu sei que a palavra dela é sólida. A fotografia agora está tão a salvo quanto estaria no fogo.

– Alegro-me de ouvir essas palavras de Vossa Majestade.

– Tenho um imenso débito com o senhor. Peço que me diga como posso recompensá-lo. Este anel... – tirou um anel de esmeralda em forma de serpente do dedo e colocou-o na palma da mão.

– Vossa Majestade possui algo a que eu daria ainda mais valor – disse Holmes.

– O senhor não precisa fazer nada além de dizer o que é.

---

3. *Nascida*. Em francês, no original. Referência ao nome de solteira de uma mulher. (N. do T.)

– Essa fotografia!

O rei olhou para ele espantado.

– A fotografia de Irene! – gemeu. – Certamente, se a deseja.

– Agradeço a Vossa Majestade. Com isso, este caso está encerrado. Tenho a honra de desejar-lhe um excelente dia – ele se curvou e, virando-se sem perceber a mão que o rei lhe estendia, partiu em minha companhia para seus aposentos.

E foi assim que um grande escândalo ameaçou afetar o reino da Boêmia, e que os melhores planos do senhor Sherlock Holmes foram frustrados pela sagacidade de uma mulher. Ele costumava zombar da inteligência das mulheres, mas não o ouvi mais fazê-lo. E quando fala sobre Irene Adler, ou quando se refere à sua fotografia, é sempre usando o título honorífico de *a* mulher.

A Liga dos Cabeça-Vermelha

Fui visitar meu amigo, senhor Sherlock Holmes, num dia do outono do ano passado, e encontrei-o numa profunda conversa com um robusto e idoso cavalheiro de faces rosadas e cabelo vermelho-fogo. Pedindo desculpas por minha intromissão, eu estava a ponto de me retirar quando Holmes me puxou abruptamente para dentro da sala e fechou a porta atrás de mim.

– Você não poderia ter chegado em melhor hora, meu querido Watson – disse ele cordialmente.

– Temi que você estivesse ocupado.

– Estou, e muito.

– Então posso esperar na outra sala.

– De maneira nenhuma. Senhor Wilson, este cavalheiro foi meu companheiro e ajudante em muitos de meus casos mais bem-sucedidos, e não tenho dúvidas de que será de inestimável ajuda no seu também.

O robusto cavalheiro ergueu-se levemente da cadeira e fez um gesto de cumprimento com uma expressão interrogativa nos pequenos olhos rodeados de gordura.

– Sente-se no divã – disse Holmes, recostando-se na poltrona e juntando as pontas dos dedos, como fazia quando pensava sobre um caso. – Eu sei, meu querido Watson, que você partilha meu amor por tudo o que é bizarro e foge da convencional e tediosa rotina do dia-a-dia. Você demonstrou isso no entusiasmo com que relatou e, se me permite dizê-lo, de algum modo embelezou tantas de minhas pequenas aventuras.

– Seus casos foram realmente do maior interesse para mim – observei.

– Você se lembrará que eu comentei no outro dia, justo antes de nos dedicarmos ao problema muito simples apresentado pela senhorita Mary Sutherland, que, para a compreensão de estranhos acontecimentos e combinações extraordinárias, nós devemos voltar-nos para a vida real, que é sempre de longe mais desafiadora do que qualquer manifestação da imaginação.

– Um raciocínio do qual me permiti duvidar.

– Você duvidou, doutor, mas mesmo assim deve levar em conta meu ponto de vista, ou terei que continuar empilhando prova em cima de prova até que a sua razão ceda sob o peso delas e mostre que estou certo. Bem, o senhor Jabez Wilson fez a gentileza de vir até aqui nesta manhã e estava começando a contar uma história que promete ser uma das mais singulares que terei ouvido por um bom tempo. Você me ouviu dizer que as coisas mais estranhas e únicas estão muitas vezes conectadas não com os maiores, mas com os menores crimes, e, às vezes, de fato, há até dúvidas se algum crime foi realmente cometido. Pelo que ouvi até agora, é impossível para mim dizer até mesmo se o presente caso se refere a um crime ou não, mas o curso dos acontecimentos está sem dúvida entre os mais singulares de que eu já ouvi falar. Talvez, senhor Wilson, o senhor devesse ter a gentileza de recomeçar a sua narrativa. Eu lhe peço isso não só porque o meu amigo doutor Watson não ouviu a primeira parte, mas também porque as peculiaridades da história me deixam ansioso para absorver cada detalhe que possa sair de seus lábios. Normalmente, quando eu já ouvi o suficiente para ter uma idéia de qual será o rumo dos acontecimentos, consigo me guiar levando em conta os milhares de outros casos similares que me vêm à memória. Neste, sou forçado a admitir que os fatos são únicos.

O corpulento cliente encheu o peito aparentando um certo orgulho e tirou um jornal sujo e amassado do bolso interno do seu sobretudo. Enquanto passava os olhos pela coluna de anúncios, com a cabeça caída para a frente e o jornal aberto sobre os joelhos, dei uma boa olhada nele e segui o costume de meu companheiro de ler as pistas que pudessem ser fornecidas pela sua vestimenta ou aparência.

Não obtive muito, no entanto, com a minha inspeção. Nosso visitante abusava de todas as características do negociante britânico comum: obeso, pomposo e lento. Ele usava largas calças xadrez em tons de cinza, como as dos pastores de ovelhas, uma casaca preta não exatamente limpa e desabotoada na frente e um colete desmazelado com uma pesada corrente de latão para relógio e um pedaço quadrado de metal balançando à guisa de ornamento. Uma cartola gasta e um sobretudo de um marrom desbotado com uma lapela de veludo amassada descansavam sobre uma cadeira ao seu lado. De maneira geral, pelo que eu via, não havia nada de extraordinário no homem além da sua cabeça vermelha flamejante e da expressão de extrema vergonha e descontentamento.

O olho rápido de Sherlock Holmes detectou o que eu fazia e ele balançou a cabeça com um sorriso ao perceber meus olhares inquisidores:

– Além do óbvio fato de que em algum momento ele já fez trabalhos braçais, de que cheira rapé, de que é maçom, de que já esteve na China e de que vem escrevendo bastante ultimamente, não consigo deduzir mais nada.

O senhor Jabez Wilson se levantou subitamente da cadeira, com o dedo indicador colado no jornal, mas os olhos no meu companheiro.

– Como soube tudo isso, senhor Holmes? – ele perguntou. – Como soube, por exemplo, que eu já fiz trabalho braçal? É um fato verdadeiro como o Evangelho, eu comecei como carpinteiro num navio.

– Suas mãos, meu caro senhor. Sua mão direita é um pouco maior do que a esquerda. Trabalhou com ela, e os músculos são mais desenvolvidos.

– Bem, e sobre o rapé e a maçonaria?

– Não insultarei a sua inteligência dizendo como percebi, especialmente porque, mesmo contra as estritas regras da sua ordem, o senhor usa um broche com arco e compasso.

– Ah, claro, eu esqueci disso. E sobre a escrita?

– O que mais poderia indicar esse punho direito tão brilhante numa extensão de quase treze centímetros, e o esquerdo com o discreto remendo perto do cotovelo que o senhor descansa na escrivaninha?

– Bem, e a China?

– O peixe que o senhor tatuou imediatamente acima do pulso direito só pode ter sido feito na China. Fiz um pequeno estudo sobre tatuagens e até mesmo contribuí para a literatura sobre o assunto. Esse truque de colorir as escamas dos peixes com um cor-de-rosa delicado é bastante característico na China. Quando, além disso, vejo uma moeda chinesa pendurada na sua corrente de relógio, tudo fica ainda mais simples.

O senhor Jabez Wilson riu com gosto.

– Bem, eu nunca vi coisa igual! – ele disse. – Pensei num primeiro momento que o senhor havia feito algo brilhante, mas agora vejo que não houve nada de mais.

– Começo a pensar, Watson – disse Holmes –, que me equivoquei ao dar a explicação. "*Omne ignotum pro magnifico*"[4], como você sabe, e a minha pobre e pequena reputação vai naufragar se eu seguir sendo tão sincero. Não conseguiu encontrar o anúncio, senhor Wilson?

– Sim, encontrei agora – respondeu ele, com seu dedo gordo e vermelho apontado para o meio da coluna. – Aqui está. Isso é o começo de tudo. O senhor mesmo pode lê-lo.

Peguei o jornal da mão dele e li o seguinte:

"Para a Liga dos Cabeça-Vermelha. Por determinação do legado do falecido Ezekiah Hopkins, de Lebanon, Pensilvânia, Estados Unidos, há agora uma outra vaga aberta que dá direito a um membro da Liga a receber o salário de quatro libras por semana por serviços puramente simbólicos. Todos os homens de cabelos vermelhos, sadios de corpo e mente e com idade acima de 21 anos podem candidatar-se. Apresentar-se pessoalmente na segunda-feira, às onze, a Duncan Ross, nos escritórios da Liga, em Pope's Court, Street Fleet, número 7".

– O que raios isso significa? – exclamei, depois de ter lido duas vezes o extraordinário anúncio.

Holmes riu baixo e remexeu-se na cadeira, como era seu hábito quando estava de bom humor.

– É algo um pouco fora do comum, não é mesmo? – disse. – E agora, senhor Wilson, vamos pelo começo: conte-nos sobre o senhor, sua casa e o que esse

---

4. "O que é desconhecido soa magnífico". Em latim, no original. (N. do T.)

anúncio tem a ver com os seus assuntos. Doutor, antes anote o nome do jornal e a data de publicação.

– É o *The Morning Chronicle* de 27 de abril de 1890. Foi publicado exatamente há dois meses.

– Muito bem. E então, senhor Wilson?

– Bem, é como eu estava lhe contando, senhor Sherlock Holmes – disse Jabez Wilson, enxugando o suor da fronte. – Tenho uma pequena casa de penhores na praça Coburg, perto da City.* Não é um empreendimento muito grande, e nos últimos anos não tem rendido mais que o suficiente para a minha sobrevivência. Eu costumava ter dois assistentes, mas agora só mantenho um. E teria dificuldades para pagá-lo se ele não estivesse recebendo metade do salário em troca de treinamento para aprender o negócio.

– Qual o nome desse prestativo jovem? – perguntou Sherlock Holmes.

– Seu nome é Vincent Spaulding, e ele não é tão jovem. É difícil adivinhar sua idade. Eu não poderia desejar um assistente mais esperto, senhor Holmes. E sei muito bem que ele poderia melhorar muito e receber duas vezes o que posso pagar-lhe. Mas, se está satisfeito, por que eu colocaria idéias na sua cabeça?

– Sim, por quê? O senhor parece bastante afortunado em ter um *employé* pagando-lhe menos do que o preço de mercado. Não é um fato normal para os empregadores hoje em dia. Não sei se o seu assistente não é tão fora do comum quanto o seu anúncio.

– Oh, ele tem suas falhas também – disse o senhor Wilson. – Nunca houve alguém tão apaixonado por fotografia. Está sempre por aí com a câmera quando deveria estar desenvolvendo a sua mente, e depois

* City: como é chamado o centro financeiro de Londres. (N. do E.)

enfiado no porão para revelar as fotos, como um coelho dentro da toca. Esta é sua principal falha. Mas, no geral, é um bom trabalhador. E não tem vícios.

– Ele ainda trabalha com o senhor, eu presumo?

– Sim, senhor. Ele e uma moça de quatorze anos, que cozinha pratos simples e mantém o lugar limpo. É tudo o que mantenho na casa, já que sou viúvo e nunca tive família. Nós três vivemos muito discretamente, senhor. Pelo menos temos um telhado para proteger nossas cabeças e pagamos nossas contas.

"A primeira coisa que alterou essa rotina foi o anúncio. Spaulding desceu ao escritório há oito semanas com este mesmo jornal nas mãos e disse:

"– Senhor Wilson, eu gostaria que Deus me desse cabelo vermelho.

"– E por quê? – perguntei.

"– Por que há outra vaga na Liga dos Cabeça-Vermelha. Pagam uma pequena fortuna para quem ocupá-la, e acho que há mais vagas do que candidatos, e os depositários não sabem mais o que fazer com o dinheiro. Se o meu cabelo mudasse de cor, este seria um belo negócio para mim.

"– Por que, do que se trata? – perguntei eu.

"Entenda, senhor Holmes, sou um homem muito caseiro e, como o trabalho vem a mim, em vez de eu ir até ele, muitas vezes fico semanas sem colocar os pés na rua. Por isso, não sei muito sobre o que acontece lá fora e acolho as novidades sempre com alegria.

"– O senhor nunca ouviu falar da Liga dos Cabeça-Vermelha? – ele perguntou, com os olhos arregalados.

"– Nunca.

"– Me pergunto por que, já que o senhor preenche os requisitos para se candidatar a uma das vagas.

"– E quanto eles pagam? – perguntei.

"– Oh, somente umas duzentas libras por ano, mas o trabalho é leve e não interfere nas outras ocupações que a pessoa possa ter.

"Bom, o senhor pode compreender com facilidade que isso chamou a minha atenção, já que o meu negócio não vai tão bem já há alguns anos, e umas duzentas libras extras seriam muito úteis.

"– Conte-me tudo sobre isso – disse eu.

"– Bem – falou ele, mostrando o anúncio –, o senhor pode ver que a Liga tem uma vaga, e há um endereço onde pode apresentar-se para saber mais detalhes. Até onde sei, a Liga foi fundada por um norte-americano milionário, Ezekiah Hopkins, que era um homem muito estranho. Tinha cabelos vermelhos e grande simpatia por todos os ruivos. Então, quando morreu, descobriu-se que havia deixado sua enorme fortuna nas mãos de depositários, com instruções para aplicá-la financiando bons soldos para homens com o cabelo dessa cor. Pelo que ouvi, é um esplêndido salário que exige muito pouco em troca.

"– Mas – disse eu –, deve haver milhões de homens com cabelo vermelho.

"– Não tantos quanto o senhor pensa – ele respondeu. – É limitado aos londrinos de idade adulta. Esse norte-americano começou a trabalhar em Londres quando era jovem e queria dar uma boa retribuição à velha cidade. E eu soube que não adianta candidatar-se se tiver o cabelo vermelho-claro, ou vermelho-escuro, ou qualquer outra coisa que não seja um vermelho real, brilhante, resplandecente, flamejante. Ou seja, se o senhor se candidatar, entrará. Mas talvez seja demasiado trabalho para o senhor por apenas algumas centenas de libras.

"É um fato, cavalheiros, como vocês mesmos podem ver, que o meu cabelo é de um tom intenso e rico, e então me pareceu que, se houvesse qualquer competição a respeito desse ponto, eu tinha melhores chances que qualquer outro homem que já conheci. Vincent Spaulding parecia saber tanto sobre o tema que poderia ser útil, e por isso ordenei que encerrasse o expediente e viesse imediatamente comigo. Ele andava ansioso por uma folga, então fechamos o negócio e saímos à procura do endereço dado no anúncio.

"Eu espero nunca mais ver algo como aquilo, senhor Holmes. Todos os homens que tivessem qualquer tom de vermelho na cabeça vieram do norte, sul, oeste e leste para a City em resposta ao anúncio. A Fleet Street estava congestionada por homens de cabeça vermelha, e Pope's Court parecia a carroça de um vendedor de laranjas. Eu não pensava que houvesse tantos no país inteiro como os que foram reunidos por aquele único anúncio. Os tons eram variados: palha, lima, laranja, cor de tijolo, *setter* irlandês, castanho, argila. Mas, como disse Spaulding, não havia muitos com a cor vermelho-fogo realmente vívida. Quando vi quantos esperavam, pensei em desistir, mas Spaulding não me deu ouvidos. Como ele fez isso eu não imagino, mas puxou e empurrou e golpeou até que conseguiu me fazer passar pela multidão e chegar aos degraus que levavam ao escritório. Havia duas correntes nas escadas: uma dos que subiam esperançosos e outra dos que voltavam, rejeitados. Mas nós passamos e logo nos vimos dentro do escritório."

– Sua experiência foi bastante divertida – disse Holmes quando seu cliente fez uma pausa e refrescou a memória cheirando rapé. – Peço que prossiga na sua interessante narrativa.

– Não havia nada no escritório além de duas cadeiras de madeira e uma escrivaninha, atrás da qual estava sentado um pequeno homem com a cabeça ainda mais vermelha do que a minha. Ele dizia algumas palavras para cada candidato que surgia e sempre dava um jeito de encontrar alguma falha que o desqualificasse. No final das contas, conseguir a vaga já não parecia algo tão fácil. De qualquer modo, quando nossa vez chegou, o pequeno homem pareceu mais favorável a mim do que aos demais e fechou a porta quando entramos para que pudesse falar privadamente conosco.

"– Este é o senhor Jabez Wilson – disse meu assistente –, e ele gostaria de ocupar a vaga na liga.

"– Ele é admiravelmente adequado – respondeu o outro. – Preenche todos os requisitos. Não me lembro de ter visto ninguém melhor. – Ele deu um passo para trás, inclinou a cabeça para um lado e fitou o meu cabelo até que eu me senti constrangido. Então, repentinamente, deu um passo adiante, pegou a minha mão e cumprimentou-me calorosamente pelo êxito.

"– Seria uma injustiça hesitar – disse ele. – O senhor me desculpará, tenho certeza, por tomar uma óbvia precaução – dizendo isso, pegou meu cabelo com ambas as mãos e puxou até que eu gritasse de dor. – Há lágrimas nos seus olhos – disse ele, ao soltar-me. – Vejo que tudo está de acordo. Mas temos que ter cuidado, porque já fomos enganados duas vezes por uma peruca e uma vez com tinta. Eu poderia contar-lhe histórias sobre graxa de sapateiro que poderiam deixá-lo enojado com a espécie humana. – Ele dirigiu-se à janela e gritou o mais alto que pôde que a vaga havia sido preenchida. Ouviu-se um murmúrio de desapontamento lá embaixo, e a multidão dispersou-se em distintas direções até que não houvesse mais nenhuma cabeça vermelha a não ser a minha e a do depositário.

"– Meu nome – disse ele – é senhor Duncan Ross

e sou um dos pensionistas do fundo deixado por nosso nobre benfeitor. O senhor é casado, senhor Wilson? Tem família?

"Respondi que não. Sua expressão se desfez imediatamente.

"– Oh – disse ele gravemente. – Isso é deveras muito sério. Sinto ouvi-lo. O fundo era, é claro, para a propagação dos cabeça-vermelha, assim como para a sua manutenção. É realmente muito desafortunado o fato de que o senhor seja solteiro.

"Meu rosto se transfigurou ao ouvir aquilo, senhor Holmes, porque pensei que não obteria a vaga. Mas, depois de pensar por alguns minutos, ele disse que estava tudo bem.

"– Em outro caso – disse ele –, esse problema seria fatal, mas devemos abrir uma exceção em favor de um homem com um cabelo como o seu. Quando pode começar a assumir seus novos deveres?

"– Bem, é um pouco complicado, porque já tenho um negócio – disse eu.

"– Oh, não se preocupe com isso, senhor Wilson – disse Vincent Spaulding. – Eu posso cuidar disso para o senhor.

"– Qual será a carga horária? – perguntei.

"– Das dez às duas.

"O negócio de penhores funciona basicamente ao anoitecer, senhor Holmes, especialmente nas quintas e sextas-feiras, que antecedem o dia de pagamento. Por isso era bastante conveniente que eu pudesse ganhar dinheiro pelas manhãs. Além de tudo, eu sabia que meu assistente era um bom homem, que poderia tratar de qualquer assunto que aparecesse.

"– Isso seria ótimo para mim – disse eu. – E o pagamento?

"– São quatro libras por semana.

"– E o trabalho?

"– É puramente simbólico.

"– O que o senhor chama de puramente simbólico?

"– Bem, o senhor deve ficar no escritório, ou pelo menos no prédio, durante todo esse tempo. Se sair, perderá o cargo para sempre. Esse ponto deve ficar bem claro. O senhor não cumpre as condições se sair do escritório durante esse horário.

"– São só quatro horas por dia, e eu não pensaria em sair – disse eu.

"– Nenhuma desculpa será aceita – disse o senhor Duncan Ross –, nem mesmo doença, negócios ou qualquer outra coisa. O senhor deve ficar no local, ou perde sua vaga.

"– E o trabalho?

"– É copiar a *Enciclopédia Britânica*. O primeiro volume está dentro daquele armário. Deve trazer sua própria tinta, canetas e papel, mas nós fornecemos esta mesa e a cadeira. Pode começar amanhã?

"– Certamente – respondi.

"– Então, até logo, senhor Jabez Wilson, e deixe-me parabenizá-lo mais uma vez pelo importante cargo com que o senhor foi afortunadamente brindado. – Ele saudou-me, levando-me para fora da sala, e fui para casa com meu assistente, sem saber o que dizer ou fazer. Estava muito feliz com minha boa sorte.

"Bem, pensei sobre o assunto o dia inteiro e, ao anoitecer, eu já estava desanimado outra vez. Estava convencido de que tudo deveria ser um grande trote ou uma fraude, embora não conseguisse entender qual poderia ser o objetivo. Parecia inacreditável que alguém pudesse fazer um testamento como esse, ou que pudessem pagar tal soma para fazer algo tão simples como copiar a *Enciclopédia Britânica*. Vincent Spaulding fez o que pôde para animar-me, mas, na hora de dormir, eu já havia desistido do negócio. No entanto, pela manhã, resolvi conferir do que se tratava e comprei um vidro de tinta de um centavo, uma caneta de pena e sete folhas de papel e fui para Pope's Court.

"Bem, para minha surpresa e satisfação, tudo estava muito bem. A mesa havia sido posicionada para mim, e o senhor Duncan Ross estava lá para conferir minha disposição para trabalhar. Ele me fez começar pela letra A e depois me deixou. No entanto, entrava de tempos em tempos para conferir se tudo estava certo comigo. Às duas da tarde, desejou-me um bom dia, cumprimentou-me pela quantidade de trabalho que eu havia feito e fechou a porta do escritório atrás de mim.

"Isso prosseguiu dia após dia, senhor Holmes, e no sábado o depositário deu-me quatro libras de ouro pelo trabalho da semana. Aconteceu o mesmo na semana seguinte, e na seguinte. Todas as manhãs, eu estava lá às dez, e todas as tardes eu saía às duas. Gradualmente, o senhor Duncan Ross começou a aparecer somente uma vez a cada manhã e, depois, deixou de vir. Ainda assim, é claro, não ousei sair da sala por um só instante, já que não tinha certeza sobre quando ele poderia aparecer, e o pagamento era tão bom e vinha-me tão bem que eu não me arriscaria a perdê-lo.

"Oito semanas como essas se passaram, e eu já havia escrito sobre abades, sobre arco-e-flecha, sobre armaduras, arquitetura, Ática, e tinha esperanças de que, com dedicação, chegaria em breve à letra B. Isso me custou uma considerável soma em papel, e eu já havia enchido quase uma prateleira com meus escritos. Então, repentinamente, tudo terminou."

– Terminou?

– Sim, senhor. E foi nesta mesma manhã. Fui trabalhar, como sempre, às dez horas da manhã, mas a porta estava trancada, com um pequeno cartaz pregado no meio com uma tacha. Aqui está, e o senhor mesmo pode lê-lo.

Ele mostrou um pedaço de cartão branco do tamanho de uma folha de um bloco de anotações. Dizia assim:

"A LIGA DOS CABEÇA-VERMELHA ESTÁ DISSOLVIDA.
9 DE OUTUBRO DE 1980."

Sherlock Holmes e eu examinamos essa curta mensagem e o triste rosto que estava atrás dela até que o lado cômico do caso se sobrepôs a qualquer outra coisa e nós dois nos pusemos a gargalhar.

– Eu não vejo nada de tão engraçado nisso – gritou nosso cliente, ficando vermelho até a raiz de sua cabeça flamejante. – Se vocês não puderem fazer nada mais além de rir de mim, posso ir a outro lugar.

– Não, não – disse Holmes, forçando-o a sentar outra vez na cadeira da qual se levantara. – Eu realmente não perderia esse caso por nada no mundo. É revigoradoramente incomum. Mas há algo, se me desculpa dizê-lo, algo um pouco engraçado a respeito dele. Pode me contar o que fez quando encontrou o cartaz na porta?

– Fiquei atônito, senhor. Não sabia o que fazer. Então fui aos escritórios próximos, mas ninguém parecia saber de nada. Finalmente, fui falar com o senhorio, que é um contador que vive no térreo, e perguntei o que ocorrera à Liga dos Cabeça-Vermelha. Ele disse que nunca ouvira falar disso. Quando perguntei quem era o senhor Duncan Ross, ele disse que o nome era uma novidade para ele.

"– Bem – disse eu –, é o cavalheiro do número quatro.

"– Ah, o homem ruivo?

"– Sim.

"– Oh – disse ele –, seu nome era William Morris. Era um advogado e estava usando minha sala temporariamente até que seu escritório estivesse pronto. Ele mudou-se ontem.

"– E onde eu poderia encontrá-lo?

"– Oh, em seu novo escritório. Ele me deu o endereço. Sim, fica na King Edward Street, número dezessete, perto da catedral de St. Paul.

"Eu fui até lá, senhor Holmes, mas quando cheguei vi que se tratava de uma fábrica de joelheiras, e ninguém por lá ouvira falar nem do senhor William Morris nem do senhor Duncan Ross."

– E o que fez depois? – perguntou Holmes.

– Fui para casa, na praça Saxe-Coburg, para pedir conselhos a meu assistente. Mas ele não pôde me ajudar. Só conseguiu dizer-me que, se eu esperasse, poderia receber algo pelo correio. Mas isso não era suficiente, senhor Holmes. Eu não queria perder aquele cargo sem resistir, e, então, como ouvi dizer que o senhor é generoso e ajuda camaradas pobres em casos de necessidade, vim diretamente aqui.

– E fez muito bem – disse Holmes. – Seu caso é excepcionalmente singular, e ficarei feliz em analisá-lo. Pelo que me disse, é possível que haja fatos mais graves do que os que inicialmente podem ser percebidos.

– Realmente graves – disse o senhor Wilson. – Perdi quatro libras semanais.

– Quanto ao seu envolvimento pessoal – observou Holmes –, não creio que o senhor tenha qualquer reclamação a fazer sobre essa liga extraordinária. Ao contrário, o senhor está, pelo que entendo, trinta libras mais rico, sem falar no conhecimento que adquiriu a respeito de todos os temas que começam pela letra A. Não perdeu nada perto deles.

– Não, senhor. Mas quero saber quem são e qual era seu objetivo ao pregar-me essa peça – se é que foi uma peça. Foi uma piada bastante cara para eles, já que lhes custou 32 libras.

– Nos esforçaremos para esclarecer todos esses pontos para o senhor. Para começar, uma ou duas perguntas, senhor Wilson. Seu assistente, que foi quem chamou a sua atenção para o anúncio, está há quanto tempo com o senhor?

– Mais ou menos um mês.

– Como ele surgiu?

– Respondendo a um anúncio.

– Foi o único candidato?

– Não, havia uma dúzia.

– E por que o escolheu?

– Porque seria útil e custaria barato.

– Metade do salário, na verdade.

– Sim.

– E como ele é, esse Vincent Spaulding?

– Pequeno, robusto, muito ágil, sem pêlos no rosto, embora não tenha menos que trinta anos. Tem uma mancha branca causada por ácido na testa.

Holmes sentou em sua cadeira consideravelmente excitado.

– Foi o que pensei. – disse ele. – Já observou se ele tem algum furo na orelha?

– Sim, senhor. Ele disse que um cigano havia feito quando ele era jovem.

– Hum – disse Holmes, recostando-se outra vez, perdido em profundos pensamentos. – Ele ainda está com o senhor?

– Oh, sim, senhor. Deixei-o há pouco.

– E o seu negócio foi bem cuidado na sua ausência?

– Não tenho do que reclamar, senhor. Nunca há muito o que fazer pelas manhãs.

– Isso basta, senhor Wilson. Ficarei feliz em dar-lhe um retorno dentro de um dia ou dois. Hoje é sábado, e espero que na segunda-feira eu tenha uma conclusão.

– Bem, Watson – disse Holmes quando nosso visitante havia saído –, o que conclui de tudo isso?

– Nada – respondi, francamente. – É um caso muito misterioso.

– Como regra – disse Holmes –, quanto mais bizarra for uma coisa, menos misteriosa é. São os crimes comuns os realmente difíceis, assim como o rosto mais comum é o mais difícil de identificar. Mas em breve terei resolvido esse caso.

– E o que fará agora? – perguntei.

– Fumar – ele respondeu. – É um problema que requer três cachimbos, e peço que você não fale comigo por cinqüenta minutos.

Ele aboletou-se na poltrona com os magros joelhos tocando o nariz de águia e lá ficou com os olhos fechados e o cachimbo preto de cerâmica sobressaindo-se como o bico de um pássaro estranho. Eu já havia chegado à conclusão de que adormecera e eu próprio cabeceava quando ele repentinamente saltou da cadeira com o ar de quem havia decidido o que fazer e colocou o cachimbo sobre a lareira.

– Sarasate toca no St. James's Hall esta tarde – ele observou. – O que acha, Watson? Seus pacientes podem abrir mão de você por algumas horas?

– Não tenho nada para fazer hoje. Meu consultório nunca é muito absorvente.

– Então ponha o chapéu e venha. Vou passar pela

City antes, e podemos almoçar no caminho. Pelo que sei, há bastante música alemã no programa, que é mais do meu gosto que a italiana ou francesa. É introspectiva, e eu quero um pouco de introspecção. Venha!

Fomos de metrô até Aldersgate e uma curta caminhada nos levou até a praça Saxe-Coburg, cenário da singular história que ouvimos pela manhã. Era um lugar monótono, pequeno e abandonado, com prédios sujos de dois andares e tijolo aparente que davam para uma pequena praça gradeada, onde um gramado cheio de ervas daninhas e moitas de loureiros travava luta com uma incompatível atmosfera carregada de fumaça. Sobre uma casa na esquina, três bolas douradas e uma tabuleta marrom onde se lia "Jabez Wilson" em letras brancas anunciavam o local onde ficava o negócio de nosso cliente de cabeça vermelha. Sherlock Holmes parou em frente ao prédio com a cabeça inclinada e inspecionou-o, os olhos brilhando entre as pálpebras cerradas. Então caminhou lentamente pela rua, indo e voltando até a esquina, olhando atentamente para as casas. Finalmente voltou para a casa de penhores e, golpeando a calçada vigorosamente com sua bengala por duas ou três vezes, foi até a porta e bateu. Ela foi instantaneamente aberta por um jovem de aparência reluzente e sem barba, que lhe convidou a entrar.

– Obrigado – disse Holmes –, eu só queria perguntar como se vai daqui para a Strand[5].

– Vire na terceira rua à direita, e então na quarta à esquerda – respondeu prontamente o assistente, fechando a porta.

– Rapaz inteligente – observou Holmes enquanto

5. Rua na área central de Londres famosa por seus teatros, restaurantes e hotéis. (N. do T.)

saía dali. – Ele é, na minha opinião, o quarto homem mais inteligente de Londres, e, pela audácia, poderia ser o terceiro. Já ouvi falar dele antes.

– Evidentemente – disse eu –, o assistente do senhor Wilson tem um considerável papel no mistério da Liga dos Cabeça-Vermelha. Estou certo de que você lhe pediu a informação somente para vê-lo.

– A ele não.

– O que, então?

– Os joelhos de suas calças.

– E o que viu?

– O que eu esperava ver.

– Por que bateu na calçada?

– Meu caro doutor, este é um período de observação, não de conversa. Somos espiões na terra inimiga. Já sabemos algo sobre a praça Saxe-Coburg. Vamos agora explorar os caminhos situados atrás dela.

A rua em que entramos depois de virar a esquina contrastava com a praça Saxe-Coburg como a frente de um quadro com o seu verso. Era uma das principais artérias que levavam o tráfego da City para o norte e o oeste. A rua estava bloqueada pelo imenso fluxo comercial que corria nas duas direções, e as calçadas estavam enegrecidas pelo enxame de apressados pedestres. Enquanto olhávamos para a fila de lojas finas e vistosas, era difícil imaginar que elas realmente ficavam atrás da praça abandonada e sem cor que havíamos deixado há pouco.

– Deixe-me ver – disse Holmes, parado na esquina e olhando a seqüência de lojas. – Eu gostaria de lembrar a ordem das casas aqui. É um *hobby* meu ter um conhecimento exato de Londres. Há a Mortimer's, a tabacaria, a pequena banca de jornais, a filial do City and Suburban Bank, o restaurante vegetariano e a estação de carruagens McFarlane. Isso leva-nos diretamente à outra quadra. E agora, doutor, já fizemos nosso trabalho, então é hora de algum prazer. Um sanduíche e uma taça de café e depois uma escapada para a terra dos violinos, onde tudo é doçura, e delicadeza, e harmonia, e onde não há clientes de cabeça vermelha a incomodar-nos com charadas.

Meu amigo era um entusiasmado músico, sendo não somente um intérprete muito capaz como também um compositor virtuoso. Ele ficou sentado na platéia durante toda a tarde, envolto na mais completa felicidade, balançando gentilmente os dedos no compasso da música, e seu rosto sorridente e seus olhos lânguidos e sonhadores em nada se pareciam com os do Holmes detetive, o Holmes inexorável, o agente criminal perspicaz e sempre a postos. Naquela personalidade singular, a dualidade da sua natureza se manifestava alternadamente, sua extrema exatidão e astúcia representavam, como eu muitas vezes pensava, uma reação contra o humor poético e contemplativo que às vezes o dominava. As mudanças levavam-no de uma extrema languidez a uma energia que o devorava e, como eu sabia bem, ele nunca era tão verdadeiramente formidável como quando ficava dias e dias recostado em sua poltrona, entregue às suas improvisações e aos seus livros antigos. Era então que a luxúria da caça sobrevinha e o seu poder de raciocínio elevava-se aos níveis da intuição, e até aqueles que desconheciam seus métodos olhavam com desconfiança para ele, como um homem cujo conhecimento não fosse o mesmo compartilhado por outros mortais. Quando o vi naquela tarde, tão envolvido pela música em St. James's Hall, senti que aqueles que ele havia decidido caçar enfrentariam maus momentos.

– Você certamente deseja ir para casa, doutor – disse, quando saímos.

– Sim, seria bom.

– E tenho algumas coisas para fazer que me ocuparão por horas. Este assunto na praça Coburg é sério.

– Por que é sério?

– Um crime considerável está sendo planejado. Tenho todas as razões para crer que estamos em tempo de evitá-lo. Mas, como hoje é sábado, a coisa se complica. Provavelmente precisarei de sua ajuda nesta noite.

– A que horas?

– Às dez será suficiente.

– Estarei em Baker Street às dez.

– Muito bem. E devo dizer, doutor, que pode haver algum perigo, então leve seu revólver no bolso.

Ele acenou, virou-se e desapareceu em um instante na multidão.

Creio que não sou mais burro que meus contemporâneos, mas sentia-me sempre oprimido pela minha própria estupidez quando lidava com Sherlock Holmes. Neste caso, eu havia ouvido o que ele ouvira, havia visto o que ele vira, e, pelas suas palavras, era evidente que ele sabia claramente não só o que ocorrera mas também o que estava por ocorrer, enquanto que para mim o caso ainda era confuso e absurdo. Enquanto ia para casa em Kensington, pensei sobre tudo, da extraordinária história do copiador ruivo da *Enciclopédia* até a visita à praça Saxe-Coburg e também sobre as sinistras palavras que ele me dirigira ao despedir-se. No que consistia essa expedição noturna, e por que eu deveria ir armado? Aonde iríamos, e o que faríamos? Eu tinha a pista dada por Holmes de que o assistente de rosto liso era um homem perigoso – capaz de entrar em um jogo pesado. Tentei entender do que se tratava, mas desisti, em desespero, e deixei o assunto de lado até que a noite me trouxesse uma explicação.

Passava um quarto das nove horas quando saí de casa atravessando o parque e, depois, a Oxford Street até Baker Street. Duas carruagens estavam na porta e, quando passei pelo corredor, ouvi o som de vozes lá em cima. Ao entrar na sala, encontrei Holmes numa conversa animada com dois homens, um dos quais reconheci como sendo Peter Jones, agente da polícia oficial. O outro era um homem alto, magro e de rosto triste, com um chapéu muito lustroso e uma casaca opressivamente respeitável.

– Ah, nossa festa está completa – disse Holmes, abotoando a jaqueta de lã estilo marinheiro e pegando no cabide o seu pesado chicote de caçador. – Watson, acho que você conhece o senhor Jones, da Scotland Yard. Permita-me apresentá-lo ao senhor Merryweather, que nos acompanhará na aventura desta noite.

– Estamos caçando em duplas outra vez, doutor – disse Jones com seu jeito sério. – Nosso amigo aqui é um homem maravilhoso para dar partida em uma caçada. Tudo o que ele precisa é um velho cão para ajudá-lo na perseguição e captura.

– E espero que a nossa caçada não termine em um ganso selvagem – observou o senhor Merryweather melancolicamente.

– O senhor pode depositar uma boa dose de confiança no senhor Holmes – disse o agente de polícia com orgulho. – Ele tem seus métodos particulares, que são, se ele me permitir dizer, um tanto teóricos e fantasiosos, mas tem as qualidades essenciais de um detetive. Não é exagero dizer que, uma vez ou duas, como nos casos do assassinato de Sholto e do tesouro de Agra, ele estava mais correto que a força oficial.

– Se o senhor diz isso, senhor Jones, está tudo bem – disse o estranho, com deferência. – Ainda assim, confesso que sinto perder meu jogo de cartas. É a primeira noite de sábado em 27 anos que eu falto.

– Creio que nesta noite o senhor vai apostar mais alto do que nunca – disse Sherlock Holmes –, e que o jogo será muito excitante. Para o senhor Merryweather, a aposta valerá cerca de trinta mil libras. E para você, Jones, valerá o homem em quem anda querendo botar as mãos.

– John Clay, o assassino, ladrão, golpista e falsificador. É um jovem, senhor Merryweather, mas é o líder na sua profissão, e eu preferiria colocar minhas algemas nele que em qualquer outro criminoso em Londres. É um homem extraordinário, esse jovem John Clay. Seu avô foi um duque, e ele próprio estudou em Eton e em Oxford. Seu cérebro é tão rápido quanto seus dedos, e, embora tenhamos sinais da atividade dele a toda hora, não conseguimos encontrar o homem. Ele rouba uma casa na Escócia em uma semana e na outra está levantando dinheiro para construir um orfanato na Cornualha. Estou atrás dele há anos e ainda não consegui pôr os olhos nele.

– Espero ter o prazer de apresentá-lo ao senhor esta noite. Eu também tive um ou dois casos relacionados com o senhor John Clay e concordo com você que ele é o melhor na profissão. Já passa das dez, e já é hora de começarmos. Vocês dois pegam a primeira carruagem, e Watson e eu os seguiremos na segunda.

Sherlock Holmes não estava muito comunicativo durante o longo trajeto e recostou-se na carruagem murmurando as melodias que eu ouvira à tarde. Fomos sacudindo por um interminável labirinto de ruas iluminadas a gás até chegarmos à Farrington Street.

– Estamos perto agora – disse meu amigo. – Esse senhor Merryweather é um diretor de banco e está pessoalmente interessado no caso. Também pensei que seria bom termos Jones conosco. Não é um mau sujeito, embora seja um absoluto imbecil na profissão. Ele tem uma virtude. É corajoso como um buldogue e tem a tenacidade de uma lagosta quando coloca suas garras em alguém. Aqui estamos, e eles nos esperam.

Havíamos chegado à mesma rua abarrotada na qual estivéramos pela manhã. Nossos carros de aluguel foram dispensados, e, seguindo o senhor Merryweather, descemos por uma passagem estreita e cruzamos uma porta lateral, que ele abriu para nós. Lá dentro havia um pequeno corredor que terminava num portão pesado de ferro. Este também foi aberto, e descemos um lance curvo de degraus de pedra que terminava em mais um enorme portão. O senhor Merryweather parou para acender uma lanterna e conduziu-nos por uma passagem baixa, escura e com cheiro de terra. Então, depois de abrir uma terceira porta, entramos num enorme porão ou caverna, cheio de engradados e de caixas pesadas.

– Este lugar não é vulnerável por cima – comentou Holmes, enquanto erguia a lanterna e examinava tudo.

– Nem por baixo – disse o senhor Merryweather, golpeando com a bengala os ladrilhos que cobriam o chão. – Oh, meu Deus, isso parece oco! – exclamou, erguendo a cabeça com surpresa.

– Eu realmente preciso pedir ao senhor que faça um pouco mais de silêncio – disse Holmes, sério. – O senhor já pôs em perigo o sucesso de toda nossa expedição. Poderia ter a bondade de sentar-se em cima de uma dessas caixas e não interferir?

O solene senhor Merryweather empoleirou-se em cima de um engradado com uma expressão injuriada no rosto, enquanto Holmes ajoelhava-se no chão e, com a lanterna e uma lente de aumento, examinava minuciosamente as fendas entre os ladrilhos. Alguns segundos foram suficientes para satisfazê-lo, e ele levantou-se e colocou a lente no bolso.

– Contamos com pelo menos uma hora de vantagem – observou –, já que eles não podem fazer nada antes que o penhorista esteja na cama. Quando isso acontecer, não perderão nem um minuto; quanto mais cedo fizerem o trabalho, mais tempo terão para a fuga. Estamos, doutor – como você sem dúvida já adivinhou – no porão da agência central de um dos principais bancos de Londres. O senhor Merryweather é o diretor-presidente, e lhe contará as razões para que um dos mais audaciosos criminosos de Londres tenha um considerável interesse neste porão no momento.

– É o nosso ouro francês – sussurrou o diretor. – Recebemos vários avisos de que tentariam roubá-lo.

– O seu ouro francês?

– Sim. Há alguns meses, tivemos a necessidade de reforçar nosso lastro e fizemos um empréstimo, para esse fim, de trinta mil napoleões no Banco da França. É sabido que não tivemos a oportunidade de desempacotar o dinheiro e que ele ainda está no nosso porão. O engradado em cima do qual estou sentado tem dois mil napoleões armazenados entre folhas de chumbo. Nosso lastro em ouro é muito maior no momento do que o que costuma ser mantido num escritório de uma só agência, e os diretores estão receosos a respeito disso.

– O que é muito bem justificado – observou Holmes. – E agora é hora de darmos início aos nossos pequenos planos. Espero que tudo ocorra dentro de uma hora. Enquanto isso, senhor Merryweather, temos que cobrir a lanterna.

– E ficar no escuro?

– Temo que sim. Trouxe um baralho no bolso e pensei que, já que somos uma *partie carrée*[6], o senhor poderia ter o seu jogo de cartas, afinal. Mas vejo que as preparações do inimigo estão tão avançadas que não podemos arriscar-nos mantendo a luz acesa. E, como primeira providência, devemos escolher nosso posicionamento. Esses homens são audaciosos e, embora estejam em desvantagem, podem ferir-nos se não tomarmos cuidado. Eu ficarei de pé atrás deste engradado, e vocês se esconderão atrás daqueles. Então, quando eu os iluminar, acerquem-se rapidamente. Se eles abrirem fogo, Watson, não tenha nenhum receio de atirar neles.

Coloquei meu revólver, engatilhado, sobre um dos engradados de madeira atrás dos quais me ocultei. Holmes cobriu a sua lanterna e deixou-nos numa escuridão absoluta – uma escuridão que eu não havia experimentado antes na vida. O cheiro do metal quente lembrava-nos de que a luz ainda estava lá, acesa, pronta para brilhar. Para mim, com meus nervos concentrados na expectativa, havia algo depressivo e intimidador naquelas trevas repentinas, e no ar úmido e frio do porão.

– Eles só têm uma chance de retirada – sussurrou Holmes. – Se voltarem para a casa e saírem para a praça Saxe-Coburg. Espero que tenha feito o que lhe pedi, Jones.

– Tenho um inspetor e dois oficiais esperando na porta da frente.

– Então nós bloqueamos todas as saídas. E agora, devemos ficar em silêncio e esperar.

6. Expressão, em francês no original, que significa uma situação em que estão envolvidas duas duplas. (N. do T.)

Pareceu muito tempo! Depois, conferindo as notas que tomei, vi que não foi mais do que uma hora e um quarto, mas me pareceu que a noite já quase havia acabado, e que lá fora estaria alvorecendo. Meus membros estavam fatigados e rígidos, motivo pelo qual temia mudar de posição, meus nervos estavam elevados à última potência de tensão e minha audição estava tão afiada que eu podia não só ouvir a respiração de meus companheiros como também distinguir a inspiração profunda e pesada do volumoso Jones e os suaves suspiros do diretor do banco. Do meu lugar, por cima da caixa, dispunha de um bom panorama do chão. De repente, meus olhos captaram o brilho de uma luz.

No começo, não era nada além de uma lúgubre centelha sob o piso de ladrilhos. Então, começou a ficar maior até que se tornou uma linha amarela e, depois, sem nenhum aviso ou som, uma fenda pareceu abrir-se e uma mão surgiu, uma mão branca quase feminina, que apalpou o chão em torno da pequena área iluminada. Por um minuto ou mais, a mão, com seus dedos contorcidos, ficou ali, como uma protuberância do chão. Então, mergulhou tão rapidamente quanto havia aparecido, e tudo ficou escuro novamente a não ser pela centelha lúgubre que marcava a junta entre as pedras.

O desaparecimento, no entanto, foi só momentâneo. Com um som de algo se partindo, uma das pedras grandes e brancas foi virada, escancarando um buraco quadrado pelo qual surgiu a luz de uma lanterna. Pela borda dele surgiu uma face de garoto bem barbeada que olhou cuidadosamente em torno e então, com uma mão apoiada em cada lado da abertura, ele elevou os ombros e a cintura até que um dos joelhos pôde ser apoiado na beira. Num instante, estava em pé ao lado do buraco, puxando um companheiro, ágil e pequeno como ele, com um rosto pálido e cabelos de um vermelho intenso.

– Está tudo bem – ele sussurrou. – Você tem aí o formão e os sacos?... Oh, Deus! Pule, Archie, pule, que eu os enfrentarei!

Sherlock Holmes havia saltado e segurava o invasor pelo colarinho. O outro mergulhou no buraco, e eu ouvi o som de tecido se rasgando quando Jones agarrou-o pela roupa. A luz iluminou o cano de um revólver, mas Holmes golpeou o pulso do homem com seu chicote de caça, e a pistola tilintou no assoalho de pedra.

– Não adianta, John Clay – disse Holmes suavemente –, você não tem nenhuma chance.

– De fato – o outro respondeu com a máxima calma. – Imagino que meu companheiro esteja bem, já que vejo que vocês ficaram com a aba da sua casaca.

– Há três homens esperando por ele na porta – disse Holmes.

– Oh, compreendo. Você parece ter armado tudo muito bem. Devo cumprimentá-lo.

– E eu devo fazer o mesmo – respondeu Holmes. – A sua idéia sobre os cabeça-vermelha foi muito inovadora e eficaz.

– Você verá seu companheiro em breve – disse Jones. – Ele é mais rápido entrando em buracos do que eu. Estenda as mãos para que eu ponha as algemas.

– Peço que não me toque com suas mãos imundas – disse o nosso prisioneiro enquanto as algemas fechavam-se em seus pulsos. – Você talvez não saiba que tenho sangue real em minhas veias. Quando se dirigir a mim, tenha a gentileza de sempre usar "senhor" e "por favor".

– Certo – disse Jones, encarando-o e abafando o riso. – Bem, poderia, por favor, senhor, subir as escadas, onde poderemos pegar a carruagem que transportará sua Alteza para a delegacia de polícia?

– Assim está melhor – disse John Clay serenamente. Ele dirigiu uma saudação a nós três e caminhou em silêncio sob a custódia do detetive.

– Realmente, senhor Holmes – disse o senhor Merryweather enquanto o seguíamos para fora do porão –, eu não sei como o banco pode agradecer ou recompensá-lo. Não há dúvidas de que desbaratou uma das maiores tentativas de roubo de banco de que já tive conhecimento.

– Eu tenho uma ou duas coisas pessoais para resolver com o senhor John Clay – disse Holmes. – Tive um pequeno gasto com esse caso, que espero que o banco reponha, mas, à parte disso, sinto-me amplamente pago por ter tido uma experiência que foi única em muitos sentidos e por ter ouvido a narrativa extraordinária sobre a Liga dos Cabeça-Vermelha.

– Veja, Watson – ele explicou nas primeiras horas da manhã, enquanto tomávamos um copo de uísque com soda em Baker Street –, era óbvio desde o princípio que o único objetivo possível daquele fantástico anúncio sobre a Liga e da cópia da *Enciclopédia* era tirar esse penhorista não muito brilhante do caminho por algumas horas todos os dias. Foi uma maneira curiosa de fazer isso, mas realmente seria difícil sugerir algo melhor. O método sem dúvida surgiu na engenhosa mente de Clay por causa da cor do cabelo do seu cúmplice. O pagamento de quatro libras por semana foi uma isca para atraí-lo. E o que significava para eles, que estavam apostando em milhares? Eles publicam o anúncio, um dos patifes aluga o escritório temporário, o outro incita o homem a se candidatar, e juntos conseguem assegurar a sua ausência todas as manhãs da semana. No momento em que ouvi a história sobre o assistente que recebia metade do salário, ficou óbvio para mim que ele tinha algum motivo muito forte para querer o posto.

– Mas como adivinhou o motivo?

– Se houvesse mulheres na casa, eu suspeitaria de um mero romance secreto. Isso, no entanto, estava fora de questão. O negócio do homem era pequeno, e não havia nada na sua casa que pudesse justificar essa preparação tão elaborada e um gasto como o que eles fizeram. Tinha que ser algo que estava fora da casa. O que poderia ser? Pensei na obsessão do assistente por fotografia e no seu truque de se esconder no porão. O porão! Lá estava a solução do mistério. Então fiz algumas perguntas sobre o misterioso assistente e descobri que estava lidando com um dos mais frios e audaciosos criminosos de Londres. Ele estava fazendo algo no porão, algo que consumia várias horas por dia durante meses. O que poderia ser, uma vez mais? Não podia pensar em nada além da construção de um túnel para outro prédio.

"Até aí eu havia chegado quando fomos visitar a cena do crime. Eu surpreendi você ao golpear o pavimento com minha bengala. Eu não tinha certeza se o porão estendia-se para a frente ou para os fundos do prédio. Não era em frente. Então toquei a campainha, e, como pensei, o assistente atendeu a porta. Tivemos alguns duelos, mas nunca nos havíamos visto até então. Pouco olhei para seu rosto. Seus joelhos eram o que eu desejava ver. Você deve ter observado como estavam sujos, amassados e manchados. Eles nos revelavam aquelas horas de escavação. Virei a esquina, vi que o City and Suburban Bank era adjacente à propriedade de nosso amigo e senti que havia resolvido o problema.

Enquanto você ia para casa depois do concerto, fui à Scotland Yard e ao diretor-presidente do banco, e o resultado você viu."

– E como você soube que fariam a tentativa de roubo nesta noite?

– Ora, quando fecharam os escritórios da Liga, isso era o sinal de que não se importavam mais com a presença do senhor Jabez Wilson. Em outras palavras, haviam terminado o túnel. Mas era primordial que o usassem logo, já que poderia ser descoberto, e o ouro, removido. O sábado seria conveniente para eles, já que lhes daria dois dias para fugir. Por todas essas razões, esperei que viessem nesta noite.

– Você resolveu o caso maravilhosamente – exclamei com verdadeira admiração. – É uma corrente longa, mas todos os elos se ligam perfeitamente.

– Isso me livrou da monotonia – ele respondeu, bocejando. – Aliás, já a sinto fechando-se sobre mim! Minha vida é um eterno esforço para escapar dos lugares-comuns da existência. Esses pequenos casos me ajudam nisso.

– E você é um benfeitor da espécie – disse eu.

Ele encolheu os ombros

– Bem, talvez, afinal, eu seja útil – ele observou. – "*L'homme c'est rien – l'ouvre c'est tout*"[7], como escreveu Gustave Flaubert para George Sand.

---

7. "O homem não é nada – a obra é tudo". Em francês no original. (N. do T.)

Um caso de identidade

– Meu caro amigo – disse Sherlock Holmes, enquanto nos sentávamos junto à lareira em seus aposentos em Baker Street –, a vida é infinitamente mais estranha do que qualquer coisa inventada pela mente humana. Nós não deveríamos ter a ousadia de criar coisas que na verdade já são o lugar-comum da existência. Se pudéssemos voar por aquela janela de mãos dadas, flutuar sobre esta grande cidade, cuidadosamente remover os telhados e espiar as coisas esquisitas que estão acontecendo, as estranhas coincidências, os planos, os desentendimentos, os maravilhosos encadeamentos de fatos, funcionando através das gerações e levando aos resultados mais *outré**, tudo isso tornaria a ficção, com suas convencionalidades e conclusões previstas, uma coisa banal e inútil.

– Eu não estou convencido disso – respondi. – Os casos que vêm a público nos jornais são, de maneira geral, muito vulgares e sem graça. Nos relatórios policiais, nós temos o realismo levado ao seu limite extremo, e ainda assim o resultado não é, admita, nem fascinante nem artístico.

– Uma certa seletividade e discernimento precisam ser usados ao produzir um efeito realista – observou Holmes. – Isso está em falta nos relatórios da polícia, nos quais há mais preocupação com os lugares-comuns dos juízes do que com os detalhes, que para um observador

* *Outré*: exagerado, ousado. Em francês, no original. (N. do E.)

contêm a essência de todo o caso. Dependendo de como se vê, não há nada menos natural do que o lugar-comum.

Eu sorri e sacudi a cabeça.

– Posso entender que você pense assim – disse eu. – É claro que, na sua posição de assessor não-oficial e salvador de todo aquele que esteja absolutamente confuso, você acaba tendo contato com tudo o que é estranho e bizarro. Mas – peguei o jornal matinal que estava no chão – vamos fazer um teste prático. Aqui está a primeira notícia na qual pus os olhos: "A crueldade de um marido com sua mulher". A nota ocupa meia coluna, mas eu sei, sem lê-la, que me é extremamente familiar. Há, é claro, a outra mulher, a bebida, o empurrão, o soco, as marcas roxas, a irmã ou senhoria solidária. O mais primitivo dos escritores não poderia inventar algo mais óbvio.

– De fato, seu exemplo foi infeliz para justificar seu argumento – disse Holmes, pegando o jornal e dando uma olhada. – Este foi o caso da separação dos Dunda, e, como às vezes ocorre, fui chamado para esclarecer alguns pequenos pontos ligados ao fato. O marido era um abstêmio, não havia outra mulher, e a reclamação era a de que ele adquirira o hábito de ao terminar as refeições tirar a dentadura e atirá-la na mulher, o que, permita-me dizer, não é algo que possa ocorrer à imaginação de um contador de histórias comum. Dê uma cheirada no rapé, doutor, e reconheça que marquei um ponto sobre você com esse exemplo.

Ele me estendeu a caixa de rapé de ouro velho, com uma grande ametista no centro da tampa. O esplendor da peça contrastava de tal forma com os seus hábitos caseiros e a sua vida simples que não pude evitar um comentário sobre isso.

– Ah – disse ele –, eu esqueci que não nos vemos há algumas semanas. Isto é uma pequena lembrança oferecida pelo rei da Boêmia como recompensa pela minha ajuda no caso dos documentos de Irene Adler.

– E o anel? – perguntei, fitando um extraordinário diamante que brilhava no seu dedo.

– Foi presente da família real da Holanda, embora o assunto em que os ajudei seja tão delicado que eu não posso confidenciá-lo nem a você, que teve a gentileza de fazer o relato de um ou dois de meus casos.

– E você tem algum caso nas mãos agora? – perguntei, com interesse.

– Uns dez ou doze, mas nenhum com ingredientes interessantes. Eles são importantes, quero dizer, mas não são interessantes. De fato, aprendi que é normalmente nos assuntos sem importância que há campo para a observação, e também para a rápida análise de causa e efeito que dão charme a uma investigação. Os maiores crimes podem ser os mais simples, já que a regra é a de que, quanto maior o crime, mais óbvio é o motivo. Nos casos atuais, sem contar um bastante intrincado que me foi enviado de Marselha, não há nada que provoque interesse. É possível, no entanto, que eu tenha algo melhor dentro de poucos minutos, pois, a não ser que eu esteja muito enganado, aquele é um dos meus clientes.

Ele havia se levantado da cadeira e estava em pé entre as cortinas abertas, olhando para a tediosa e neutra rua londrina lá embaixo. Olhando sobre seu ombro, vi que na calçada oposta estava uma mulher grande que usava uma pesada estola de pele ao redor do pescoço e um chapéu de abas largas com uma pena curva vermelha inclinado sobre a orelha à moda coquete da duquesa de Devonshire. Embaixo dessa verdadeira armadura, ela espiava as nossas janelas de maneira nervosa e hesitante, enquanto seu corpo oscilava para trás e para frente, e seus dedos brincavam nervosamente com os botões das luvas. De repente, num mergulho, como o nadador que salta da margem do rio, ela atravessou correndo a rua e ouvimos o agudo som da campainha.

– Eu já vi esses sintomas antes – disse Holmes, atirando o cigarro no fogo. – Oscilação na calçada sempre quer dizer *affaire du coeur*[8]. Ela quer um conselho, mas não tem certeza se o assunto não é delicado demais para ser contado para alguém. E ainda aqui nós precisamos usar o discernimento. Quando uma mulher foi seriamente enganada por um homem, ela não oscila mais, e o sintoma mais comum é um cordão de campainha arrancado. Aqui, nós podemos concluir que há um assunto de amor envolvido, mas que a senhorita não está brava, e sim perplexa, ou enlutada. Mas aqui vem ela, para resolver nossas dúvidas pessoalmente.

Enquanto ele falava ouviu-se um golpe na porta, e o mensageiro entrou para anunciar a senhorita Mary Sutherland, seguido da própria, que se aproximava por trás da pequena figura vestida de negro como um navio de carga atrás de um pequeno bote. Sherlock Holmes deu-lhe as boas-vindas com a cortesia pela qual era famoso e, tendo fechado a porta e acomodado-a na poltrona, examinou-a já com a maneira precisa e abstrata que lhe era peculiar.

– A senhorita não acha – disse ele – que, com a sua miopia, é muito penoso escrever tanto à máquina?

– No começo, eu achava – ela respondeu –, mas agora sei onde as letras estão sem precisar olhar. – Então, percebendo subitamente o significado das palavras de Holmes, teve um sobressalto e olhou-o com medo e

8. "Assunto do coração". Em francês no original. (N. do T.)

espanto em sua grande e bem-humorada face. – O senhor já ouviu algo a meu respeito, senhor Holmes? – disse ela. – Senão, como poderia saber tudo isso?

– Não importa – disse Holmes, rindo. – O meu trabalho é saber coisas. Talvez eu tenha me treinado para ver coisas que os outros não percebem. Se não fosse assim, por que a senhorita viria consultar-me?

– Eu vim até aqui porque ouvi a senhora Etherege falar do senhor, e de como o marido dela foi encontrado tão facilmente quando a polícia e todo mundo acreditava que ele estava morto. Oh, senhor Holmes, eu gostaria que pudesse fazer algo assim por mim. Não sou rica, mas recebo cem libras por ano além do pouco que ganho com a datilografia, e eu daria tudo isso para saber o que aconteceu com o senhor Hosmer Angel.

– Por que veio me consultar com tanta pressa? – perguntou Sherlock Holmes, unindo as pontas dos dedos e olhando para o teto.

Outra vez, um olhar de espanto surgiu na face algo inexpressiva da senhorita Mary Sutherland.

– Sim, eu saí correndo da casa – disse ela –, porque fiquei com raiva ao ver a tranqüilidade com que o senhor Windibank, que vem a ser o meu pai, encarou o fato. Ele não queria ir à polícia e nem recorrer ao senhor, e, no fim, como vi que não faria nada e que somente ia ficar dizendo que nenhum dano havia sido causado, fiquei furiosa e saí com minhas coisas e vim diretamente ver o senhor.

– Seu pai? – disse Holmes. – Seu padrasto, certamente, já que o nome é diferente.

– Sim, meu padrasto. Eu o chamo de pai, embora pareça engraçado, pois ele é apenas cinco anos e dois meses mais velho que eu.

– E sua mãe está viva?

– Oh, sim, mamãe está viva e bem. Eu não fiquei muito feliz, senhor Holmes, quando ela se casou tão pouco tempo depois da morte de papai, e com um homem que é quase quinze anos mais novo do que ela. Papai era bombeiro hidráulico na Tottenham Court Road e deixou um pequeno negócio que mamãe tocou junto com o senhor Hardy, o gerente, mas quando o senhor Windibank surgiu, convenceu-a a vender o negócio, já que ele tinha uma posição melhor como representante comercial de vinhos. Eles receberam 4.700 libras pela reputação do negócio mais juros, o que não chegou nem perto do quanto papai obteria se estivesse vivo.

Eu esperava ver Sherlock Holmes impaciente com essa narrativa errática e inconseqüente, mas, pelo contrário, ele ouvia com a maior concentração e atenção.

– Sobre o seu pequeno ganho – ele perguntou –, ele vem desse negócio?

– Oh, não, senhor, é algo distinto, e foi-me deixado pelo meu tio Ned, de Auckland. É um dinheiro que está na bolsa de valores da Nova Zelândia, pagando 4,5 por cento. A quantia é de 2.500 libras, mas eu só posso tocar nos juros.

– O seu relato me interessa extremamente – disse Holmes. – E já que você recebe uma soma de cem libras por ano, somadas ao que ganha com o trabalho, certamente consegue viajar um pouco e satisfazer alguns caprichos. Creio que uma moça solteira possa viver bastante bem com uma renda de cerca de 60 libras.

– Eu poderia fazer isso com uma quantia bem menor que essa, senhor Holmes, mas entenda que, enquanto eu viver em casa, não desejo ser uma carga para eles, e por isso somente durante o tempo em que eu estiver com eles eles controlam o dinheiro. É claro que é só por enquanto. O senhor Windibank recebe os juros a cada trimestre e entrega-os para mamãe, e eu acho que posso viver bastante bem com o que ganho como datilógrafa. Recebo dois cêntimos por folha, e consigo produzir de quinze a vinte folhas por dia.

– A senhorita deixou a situação bastante clara para mim – disse Holmes. – Este é meu amigo, senhor Watson, diante de quem pode falar tão livremente quanto faria diante de mim. Por favor, tenha a bondade de contar-nos sobre a sua ligação com o senhor Hosmer Angel.

O rosto da senhorita Sutherland ficou corado, e ela puxou nervosamente a bainha do casaco.

– Eu o conheci no baile dos gasistas – disse ela. – Eles costumavam enviar entradas para papai quando ele estava vivo, e depois lembraram-se de nós e passaram a enviá-las para mamãe. O senhor Windibank não queria que fôssemos. Ele nunca queria que fôssemos a parte nenhuma. Ficava louco se eu quisesse ir a eventos pequenos como um almoço da escola dominical. Mas, dessa vez, eu estava decidida a ir, e iria mesmo, com que direito ele me impediria? Ele disse que as pessoas não eram adequadas para nós, quando todos os amigos de papai estariam lá. E disse que eu não possuía nada adequado para vestir, quando eu tinha um vestido de veludo púrpura que até então não havia saído da gaveta. No fim, quando não havia mais argumento, ele viajou para a França a trabalho, mas nós fomos, mamãe e eu, com o senhor Hardy, que havia sido o nosso gerente, e foi lá que eu conheci o senhor Hosmer Angel.

– Eu suponho – disse Holmes – que, quando o senhor Windibank voltou da França, ele tenha ficado muito chateado porque vocês foram ao baile.

– Bom, na verdade, reagiu bem. Ele riu, eu me lembro, deu de ombros e disse que não adiantava negar uma coisa a uma mulher, já que ela encontraria uma maneira de fazê-lo.

– Compreendo. E então, no baile dos gasistas, a senhorita conheceu, pelo que entendo, um cavalheiro chamado senhor Hosmer Angel.

– Sim, senhor. Conheci-o naquela noite, e ele foi à nossa casa no dia seguinte para perguntar se havíamos chegado bem, e depois disso o encontramos – isto é, senhor Holmes, eu fui ao seu encontro duas vezes para fazermos caminhadas, mas depois disso papai voltou da viagem, e o senhor Hosmer Angel não pôde mais vir à nossa casa.

– Não?

– Bem, o senhor sabe, papai não aprovava nada disso. Ele não receberia nenhuma visita se pudesse, e costuma dizer que uma mulher deveria ser feliz dentro de seu círculo familiar. Mas, como eu disse à mamãe, toda a mulher deseja dar início a seu próprio círculo familiar, e eu ainda não tinha o meu.

– E o senhor Hosmer Angel? Ele não tentou vê-la?

– Bem, papai partiria para a França dentro de uma semana, e Hosmer escreveu-me dizendo que seria mais seguro e melhor que não nos víssemos até que ele viajasse. Poderíamos trocar cartas nesse período, e ele costumava escrever todos os dias. Eu pegava a correspondência pelas manhãs, para que papai não ficasse sabendo.

– A senhorita ficou noiva do cavalheiro nesse período?

– Oh, sim, senhor Holmes. Noivamos depois da primeira caminhada que fizemos. Hosmer, ou melhor, o senhor Angel, era encarregado do caixa num escritório na Leadenhall Street, e...

– Qual escritório?

– O pior de tudo, senhor Holmes, é que eu não sei.

– E onde ele vivia?

– Ele dormia no escritório.

– E a senhorita não sabe o endereço?

– Não, a não ser que era na Leadenhall Street.

– E como endereçava suas cartas, então?

– Para a agência dos correios da Leadenhall Street, para que fosse recolhida lá. Ele disse que, se fossem enviadas para o escritório, os outros empregados zombariam dele por receber correspondência de uma dama, e então pensei em datilografá-las, como ele fazia com suas próprias cartas, mas ele disse que, quando eu as escrevia à mão, pareciam ser minhas, e que, quando eram datilografadas, parecia que a máquina estava entre nós. Isso demonstra o quanto ele gostava de mim, senhor Holmes, assim como as outras pequenas coisas em que ele pensava.

– É muito revelador – disse Holmes. – Há muito tempo que um dos meus axiomas é o de que as pequenas coisas são infinitamente as mais importantes. A senhorita consegue se lembrar de alguma outra pequena coisa sobre o senhor Hosmer Angel?

– Ele era um homem muito tímido, senhor Holmes. Ele preferia caminhar comigo ao anoitecer, e não durante o dia. Dizia que detestava ser ostensivo. Era muito recatado e cavalheiro. Até sua voz era suave. Ele me disse que, quando jovem, tinha amigdalite e gânglios inchados, o que lhe havia deixado com uma garganta frágil e um modo de falar hesitante e sussurrante. Ele estava sempre bem-vestido, muito limpo e simples, mas seus olhos eram fracos, como os meus, e ele usava óculos de lentes escuras quando estava na claridade.

– Bem, e o que aconteceu quando o senhor Windibank, seu padrasto, voltou da França?

– O senhor Hosmer Angel veio de novo à nossa casa e propôs que realizássemos o casamento antes da volta de papai. Ele foi fervoroso e fez-me jurar, com as mãos sobre a Bíblia, que, não importava o que acontecesse, eu sempre lhe seria fiel. Mamãe disse que ele tinha toda razão ao fazer-me jurar e que isso era um sintoma de sua paixão. Mamãe estava a seu favor desde o começo, e gostava ainda mais dele do que eu mesma. Então, quando começaram a falar sobre casamento dentro de uma semana, eu perguntei o que faríamos com papai, mas os dois disseram que não deveria me preocupar com ele, que só diríamos depois, e mamãe afirmou que trataria de tudo com ele. Eu não gostei muito daquilo, senhor Holmes. Parecia estranho que eu tivesse que lhe pedir permissão, já que ele era apenas alguns anos mais velho do que eu, mas eu não queria fazer nada às escondidas, e então escrevi para papai em Bordeaux, onde ficavam os escritórios franceses da companhia, mas a carta voltou na manhã do casamento.

– Ele não a recebeu, então?

– Não, senhor, ele partiu de volta para a Inglaterra um pouco antes que a carta chegasse.

– Ah, isso foi um azar. O seu casamento foi marcado, então, para a sexta-feira. Era para ser realizado numa igreja?

– Sim, senhor, mas de maneira muito discreta. Era para ser na igreja de St. Saviour, perto de King's Cross, e planejamos um café-da-manhã depois no hotel St. Pancras. Hosmer veio nos encontrar num cabriolé, mas, como éramos duas, ele acomodou-nos nele e pegou uma carruagem de quatro rodas, que era o único outro carro de aluguel na rua. Chegamos à igreja primeiro, e quando a carruagem de quatro rodas parou, esperamos que ele saísse, mas isso não ocorreu, e quando o cocheiro desceu para olhar, não havia ninguém lá. O cocheiro disse que não tinha idéia do que havia acontecido, já que, com seus próprios olhos, havia visto ele entrar . Isso foi na sexta-feira passada, senhor Holmes, e nunca mais vi ou ouvi nada desde então que lançasse luz sobre o seu paradeiro.

– Me parece que a senhorita foi tratada de maneira vergonhosa – disse Holmes.

– Oh, não, senhor! Ele era bom e gentil demais para me deixar dessa maneira. Por que razão, durante toda a manhã, ele ficou dizendo que, não importava o que acontecesse, eu deveria ser-lhe fiel e que, mesmo que alguma coisa inesperada nos separasse, eu deveria lembrar sempre que me havia comprometido com ele, e que ele cobraria o compromisso cedo ou tarde? Parecia uma conversa estranha para uma manhã de casamento, mas o que aconteceu depois dá sentido a ela.

– Certamente dá. A sua opinião é a de que, então, alguma catástrofe inesperada aconteceu a ele?

– Sim, senhor. Eu creio que ele pressentiu algum perigo, ou então não teria tido aquela conversa comigo. E acho que o que ele pressentiu realmente aconteceu.

– Mas a senhorita não tem nenhuma noção do que pode ter sido?

– Nenhuma.

– Uma pergunta mais. Como a sua mãe reagiu ao ocorrido?

– Ela ficou brava e disse que eu nunca mais deveria falar do assunto.

– E o seu pai? A senhorita contou a ele?

– Sim, e ele pareceu pensar, como eu, que alguma coisa havia ocorrido, e que Hosmer voltaria a comunicar-se comigo. Como ele disse, que interesse poderia ter alguém em levar-me até as portas da igreja e depois me deixar? Se tivesse me pedido dinheiro emprestado ou tivesse casado comigo e obtido poderes sobre o meu dinheiro, poderia haver uma razão para isso. Mas Hosmer era muito independente quando o assunto era dinheiro, e nunca nem mesmo olhou para um xelim meu. Então, o que pode ter acontecido? Por que não me escreveu? Oh, só o fato de pensar nisso me deixa meio louca! E eu não consigo dormir nem por um momento à noite.

Ela puxou um pequeno lenço do regalo e, cobrindo a boca, começou a soluçar pesadamente.

– Eu posso investigar o caso para a senhorita – disse Holmes, levantando-se – e não tenho dúvidas de que chegaremos a um resultado definitivo. Deixe o peso desse caso sobre meus ombros agora e não permita que sua mente se ocupe mais disso. Acima de tudo, tente apagar o senhor Hosmel Angel de sua memória, assim como ele apagou-se da sua vida.

– Então o senhor acha que eu não o verei novamente?

– Temo que não.

– Então, o que aconteceu com ele?

– Deixe essa questão nas minhas mãos. Eu gostaria de ter uma descrição detalhada e todas as cartas dele que a senhorita tiver.

– Publiquei um anúncio no *Chronicle* de sábado – disse ela. – Aqui está o recorte e aqui estão quatro cartas dele.

– Obrigada. E o seu endereço?

– Praça Lyon, número 31, em Camberwell.

– O endereço do senhor Angel a senhorita nunca teve, isso eu entendo. Onde fica o escritório do seu pai?

– Ele é representante comercial da Westhouse & Marbank, os grandes importadores de vinho bordeaux da Fenchurch Street.

– Obrigado. A senhorita esclareceu bem o ocorrido. Deixe os papéis aqui e lembre-se do conselho que lhe dei. Considere o caso um livro selado e não deixe que isso afete a sua vida.

– O senhor é muito gentil, senhor Holmes, mas não posso fazer isso. Devo ser fiel a Hosmer. Ele deve encontrar-me pronta quando voltar.

Apesar do chapéu absurdo e do rosto inexpressivo, havia algo nobre na fé simplória de nossa visitante que lhe conferia o nosso respeito. Ela deixou o pequeno maço de papéis sobre a mesa e foi embora, com a promessa de voltar quando fosse chamada.

Sherlock Holmes sentou-se em silêncio por alguns minutos com as pontas dos dedos ainda firmemente unidas, as pernas esticadas diante dele, fitando o teto. Então, tirou da prateleira o velho e oleoso cachimbo de argila, que era para ele um conselheiro, e, depois de acendê-lo, recostou-se na cadeira, com os anéis de fumaça azulada subindo diante dele e um semblante de infinita languidez.

– Essa moça é um objeto de estudo interessante – ele observou. – Eu a achei mais interessante que o seu pequeno problema, que, diga-se de passagem, é banal. Você encontrará casos semelhantes, se consultar meu arquivo, em Andover, no ano de 1877. E também houve algo desse tipo em Haia, no ano passado. A idéia é antiga, mas há um ou dois detalhes que são novos para mim. A moça, no entanto, foi muito instrutiva.

– Você parece ter visto nela algo que ficou invisível para mim – observei.

– Não invisível, mas despercebido, Watson. Você

não sabia onde olhar e por isso perdeu o que era mais importante. Eu nunca conseguirei convencê-lo da importância das mangas, do quão sugestivas podem ser as unhas do polegar, ou as grandes informações que podem pender de um cadarço de bota. Agora, diga-me, o que você concluiu a partir da aparência daquela mulher? Descreva-a.

– Bem, ela usava um chapéu de abas largas cor de ardósia, com uma pena cor de tijolo. Seu casaco era preto, bordado com contas pretas e com um debrum de pequenos ornamentos de linhito preto. Seu vestido era marrom, talvez um pouco mais escuro que o café, com veludo púrpura no pescoço e nas mangas. Suas luvas eram acinzentadas e estavam furadas no dedo indicador direito. Não observei as botas. Ela usava pequenos e arredondados brincos pingentes de ouro, e tinha um ar de quem vivia bastante bem, de uma maneira trivial, confortável e despreocupada.

Sherlock Holmes juntou as mãos suavemente e riu.

– Palavra de honra, Watson, você está melhorando maravilhosamente. Você realmente saiu-se bem. É verdade que perdeu tudo o que era importante, mas entendeu o método, e tem um bom olho para cores. Nunca confie em impressões gerais, meu garoto, concentre-se nos detalhes. Meu primeiro olhar é sempre para as mangas de uma mulher. Num homem talvez seja melhor olhar primeiro para os joelhos das calças. Como você observou, ela tinha veludo nas mangas, que é um material muito eficiente em mostrar marcas. A linha dupla acima do pulso, onde a datilógrafa se apóia na mesa, estava bem definida. A máquina de costura, de tipo manual, deixa uma marca parecida, mas somente no braço esquerdo, e no lado mais afastado do dedo polegar, ao contrário deste caso, em que a marca fica logo acima da parte mais larga da mão. Então examinei seu rosto e, observando que havia a marca de um *pince-nez* nos lados do seu nariz, arrisquei-me a dizer que ela era míope e datilógrafa, o que pareceu surpreendê-la.

– Surpreendeu a mim.

– Mas, é claro, era muito óbvio. Eu fiquei bem mais surpreso e interessado quando olhei para baixo e observei que, embora as botas que estivesse usando não fossem comuns, eram realmente muito estranhas. Uma delas tinha uma ponteira com um enfeite de couro e a outra não. Em uma delas, somente os dois botões de baixo estavam abotoados, e a outra só tinha o primeiro, o terceiro e o quinto fechados. Agora, quando você vê que uma jovem dama, que em outra ocasião estaria cuidadosamente vestida, saiu de casa com as botas trocadas e meio abotoadas, não é preciso ser muito entendido para deduzir que ela saiu apressada.

– E o que mais? – perguntei, muito interessado, como eu sempre ficava, pelo afiado raciocínio do meu amigo.

– Eu notei, de passagem, que ela tinha escrito uma nota antes de sair de casa, mas depois de estar completamente vestida. Você observou que a luva direita estava rasgada no indicador, mas aparentemente não viu que tanto a luva quanto o dedo estavam tingidos com tinta violeta. Ela escreveu apressadamente, e mergulhou demais a pena na tinta. Deve ter sido nesta manhã, ou a marca não estaria tão clara no dedo. Tudo isso é interessante, embora elementar. Eu preciso voltar ao trabalho, Watson. Você se importaria de ler para mim a descrição do senhor Hosmer Angel que saiu no anúncio?

Levei o pequeno recorte à luz. Dizia:

"Desaparecido, na manhã do dia 14, um cavalheiro de nome Hosmer Angel. Mede cerca de 1,65m, forte, pálido, cabelos pretos, um pouco calvo no centro da cabeça, suíças pretas espessas e bigode, óculos escuros, certa fraqueza ao falar. Estava vestido, quando foi visto pela última vez, com sobrecasaca preta forrada de seda, colete preto, corrente de relógio de ouro e calças cinza de *tweed* escocês Harris, com polainas marrons sobre botas de cano elástico. Sabe-se que trabalhou em um escritório na Leadenhall Street. Quem tiver, etc, etc."

– Isso servirá – disse Holmes. – Sobre as cartas, elas são recheadas de lugares-comuns. Não há uma só pista nelas sobre o senhor Angel, a não ser o fato de que cita Balzac uma vez. Há um relevante ponto, no entanto, que vai impressionar você, sem dúvida.

– Elas são escritas à máquina.

– Não só isso, mas a assinatura também é datilografada. Veja o pequeno "Hosmer Angel" lá embaixo. Há uma data, como pode ver, mas não há endereço a não ser "Leadenhall Street", o que é um pouco vago. A questão da assinatura é muito sugestiva. De fato, podemos chamá-la de conclusiva.

– De quê?

– Meu caro companheiro, será possível que você não veja o quanto isso afeta o caso?

– Eu não posso dizer que veja, a não ser que ele quisesse poder negar que essa fosse a sua assinatura no caso de ser processado por quebra de promessa.

– Não, esse não é o ponto. De qualquer maneira, escreverei duas cartas que devem solucionar a questão. Uma é para uma empresa na City, a outra é para o padrasto da jovem dama, o senhor Windibank, pedindo que nos encontre amanhã, aqui, às seis da tarde. É melhor que tratemos do negócio com os homens da família. Por ora, doutor, não podemos fazer nada até que as respostas para essas cartas venham. Por isso, nesse ínterim, devemos colocar o pequeno problema na prateleira.

Eu tinha tantas razões para acreditar nos sutis poderes de raciocínio do meu amigo e na sua extraordinária energia para a ação, que imaginei que ele deveria ter sólidos motivos para tratar com tanta calma e segurança esse mistério singular que fora chamado a desvendar. Eu sabia de somente uma oportunidade em que ele havia falhado: no caso do rei da Boêmia e da fotografia de Irene Adler, mas quando relembrava o bizarro caso do signo dos quatro, e as extraordinárias circunstâncias conectadas com o estudo em vermelho, eu sentia que um nó teria que ser muito estranho para que ele não pudesse desatar.

Fui embora e deixei-o ainda dando baforadas no seu cachimbo negro de argila, com a convicção de que, ao voltar na noite seguinte, descobriria que ele tinha nas mãos todas as pistas que poderiam levar à identidade do desaparecido noivo da senhorita Mary Sutherland.

Um caso profissional de grande gravidade tomou a minha atenção no dia seguinte, e passei todo ele ao lado da cama do paciente. Fiquei livre somente às seis da tarde, quando peguei um cabriolé e fui para Baker Street, temendo estar atrasado demais para assistir ao *dénouement*[9] do pequeno mistério. No entanto, encontrei Sherlock Holmes sozinho, meio adormecido, com o corpo longo e magro encolhido no recôndito de sua poltrona. Uma fila respeitável de garrafas e tubos de ensaio e o cheiro pungente de ácido clorídrico me disse-

9. "Solução, desenlace". Em francês no original. (N. do T.)

ram que ele havia passado o dia no trabalho químico que tanto lhe dava prazer.

– E então, descobriu? – perguntei ao entrar.

– Sim. Foi o bissulfato de bário.

– Não, não, o mistério! – exclamei.

– Oh, aquilo. Pensei que era sobre o sal no qual eu estava trabalhando. Nunca houve nenhum mistério no caso, embora, como eu disse ontem, alguns dos detalhes fossem interessantes. O único problema é que não há nenhuma lei, eu temo, que possa ser aplicada contra o patife.

– Quem era ele, então, e qual foi o seu objetivo ao abandonar a senhorita Sutherland?

A pergunta saiu de minha boca, e Holmes ainda não havia aberto os lábios para responder, quando ouvimos pesados passos no corredor e um golpe na porta.

– É o padrasto da moça, o senhor James Windibank – disse Holmes. – Ele escreveu-me para dizer que estaria aqui às seis. Entre!

O homem que entrou era um robusto rapaz de estatura média, trinta e poucos anos, cuidadosamente barbeado e de pele pálida, com modos suaves e insinuantes, e um par de belos olhos cinza aguçados e penetrantes. Ele lançou um olhar inquisidor para cada um de nós, colocou a cartola brilhante sobre o aparador e, com uma leve reverência, sentou na cadeira mais próxima.

– Boa noite, senhor James Windibank – disse Holmes. – Creio que esta carta datilografada, na qual o senhor marcou um encontro comigo às seis horas, seja sua.

– Sim, senhor. Temo estar um pouco atrasado, mas não sou meu próprio chefe. Sinto muito que a senhorita Sutherland tenha incomodado o senhor com esse assunto sem importância, pois acho que é bem melhor não lavar esse tipo de roupa suja em público.

Ela veio contra a minha vontade, mas é uma garota muito nervosa e impulsiva, como o senhor deve ter notado, e não é facilmente controlável quando toma uma decisão a respeito de algo. É claro que eu não estou muito preocupado com o senhor, já que não está ligado à polícia oficial, mas não é agradável ver um problema de família como esse comentado por aí. Ademais, é um gasto inútil, pois, como poderia o senhor encontrar esse Hosmer Angel?

– Pelo contrário – disse Holmes suavemente. – Eu tenho todas as razões para crer que encontrarei o senhor Hosmer Angel.

O senhor Windibank deu um violento salto e deixou cair as luvas.

– Estou muito satisfeito de ouvir isso – disse.

– É algo curioso – considerou Holmes – que uma máquina de escrever tenha quase tanta individualidade quanto a escrita à mão de um homem. A menos que sejam bastante novas, não há duas exatamente iguais. Algumas letras ficam mais gastas que as outras, e algumas se gastam somente de um lado. Agora, observe na nota que enviou, senhor Windibank, que o "e" está sempre um pouco borrado e que há um pequeno defeito na cauda do "r". Há outras quatorze características, mas estas duas são as mais óbvias.

– Todos nós escrevemos nossa correspondência com essa máquina, no escritório, e não há dúvidas de que ela está um pouco velha – respondeu o visitante, olhando penetrantemente para Holmes com seus pequenos olhos brilhantes.

– E agora vou mostrar-lhe o que é um estudo realmente interessante, senhor Windibank – continuou Holmes. – Pretendo escrever outra monografia um dia desses sobre a relação das máquinas de escrever com o crime. É um tema ao qual eu devotei muito pouca atenção. Tenho aqui quatro cartas que supostamente são do homem desaparecido. Elas foram todas datilografadas. Em todos os casos, não só os "e" estão borrados e os "r" estão sem cauda como, o senhor verá, se tiver o cuidado de usar minha lupa, que as outras quatorze características a que eu aludi estão aí também.

O senhor Windibank saltou da cadeira e pegou o chapéu.

– Não posso perder tempo com esse tipo de conversa fantasiosa, senhor Holmes – disse ele. – Se puder pegar o homem, pegue-o e faça-me saber quando o fizer.

– Certamente – disse Holmes, adiantando-se e virando a chave na porta. – Faço-o saber, então, que eu o peguei!

– O quê? Onde? – gritou o senhor Windibank, com os lábios brancos e olhando à volta como um rato numa armadilha.

– Oh, não será possível, realmente não será – disse Holmes suavemente. – Não será possível escapar dessa, senhor Windibank. É tão transparente, e foi um péssimo cumprimento quando o senhor disse que seria impossível para mim desvendar um caso tão simples. Está bem! Sente-se e vamos falar sobre o assunto.

Nosso visitante tombou sobre uma cadeira com o rosto pálido e suor brilhando na testa.

– Não... não posso ser processado – gaguejou ele.

– Temo que não. Mas, cá entre nós, Windibank, foi o truque mais cruel, egoísta e sem coração de que eu já tive conhecimento. Agora, deixe-me rever o curso dos acontecimentos e contradiga-me se eu estiver errado.

O homem enterrou-se na cadeira, com a cabeça grudada no peito, como alguém totalmente derrotado.

Holmes apoiou o pé no canto da lareira e, recostado e com as mãos nos bolsos, começou a falar, mais para si mesmo, parecia, do que conosco.

– O homem casa-se com uma mulher muito mais velha que ele pelo seu dinheiro e desfruta do dinheiro da filha desta enquanto ela viver com eles. Era uma soma considerável para uma família na sua posição, e a perda dela poderia fazer uma séria diferença. Valeria a pena um esforço para preservá-la. A filha era boa e de temperamento amigável, mas cheia de afeição, a seu modo, o que tornava evidente que, com suas qualidades pessoais e sua pequena renda, não ficaria solteira por muito tempo. O seu casamento significaria a perda certa de cem libras anuais, e o que o seu padrasto faz para evitar isso? Toma o óbvio caminho de tentar mantê-la em casa, proibindo-a de procurar a companhia de pessoas de sua própria idade. Mas rapidamente ele descobre que isso não funcionará para sempre. Ela começa a ficar inquieta, insiste em seus direitos e, finalmente, anuncia a firme intenção de ir a um certo baile. E o que o esperto padrasto faz então? Concebe um plano que pode ser creditado mais à sua mente que ao seu coração. Com a conivência e assistência da sua mulher, ele se disfarça, cobre os penetrantes olhos com óculos escuros, coloca um bigode e um par de grossas suíças, afunda a voz clara num insinuante sussurro e, duplamente seguro por causa da miopia da moça, aparece como o senhor Hosmer Angel e afasta outros amantes, fazendo com que ela o ame.

– No começo, foi só uma brincadeira – gemeu nosso visitante. – Nós nunca pensamos que ela se deixaria levar tão longe.

– Talvez não. De qualquer maneira, a jovem dama decididamente deixou-se levar e, achando que seu padrasto estava na França, a suspeita de traição não passou pela sua cabeça nem por um instante. Ela estava lisonjeada pelas atenções do cavalheiro, e o efeito foi ampliado pela entusiasmada admiração da mãe. Então o senhor Angel começou a fazer visitas, já que era óbvio que o assunto deveria ser levado tão longe quanto possível para poder provocar uma impressão realista. Houve encontros e um noivado, o que asseguraria finalmente que a afeição da moça não se voltaria para mais ninguém. Mas a fraude não poderia ser mantida para sempre. Essas falsas viagens para a França eram bastante incômodas. Claramente, o certo a fazer seria dar um fim à coisa de uma maneira dramática o suficiente para deixar uma marca indelével na mente da moça, evitando que ela olhasse para qualquer outro pretendente por um bom período de tempo. Por isso, foram feitos os votos de fidelidade sobre a Bíblia e também as alusões à possibilidade de algo acontecer na manhã do casamento. James Windibank queria que a senhorita Sutherland ficasse tão ligada a Hosmer Angel e tão incerta sobre o seu destino, que, por dez anos, sob nenhuma hipótese, ela desejaria ouvir falar sobre outro homem. Ele a levou até a porta da igreja e, como não podia ir mais longe, convenientemente desapareceu usando o velho truque de entrar numa carruagem de quatro rodas por uma porta e sair pela outra. Creio que esta tenha sido a cadeia de eventos, senhor Windibank!

Nosso visitante havia recuperado algo de sua confiança enquanto Holmes estivera falando, e levantou-se da cadeira com um frio ar de desprezo na pálida face.

– Pode ter sido, ou pode não ter sido, senhor Holmes – disse ele –, mas se o senhor é tão esperto, deve saber que, agora, quem está violando a lei é o senhor, e não eu. Desde o começo não fiz nada condenável pela justiça, mas, enquanto mantiver a porta fechada, o senhor expõe-se a sofrer uma ação por agressão e constrangimento ilegal.

– A lei não pode, como o senhor disse, tocar-lhe – disse Holmes, destrancando e abrindo a porta –, embora não exista alguém que mereça mais uma punição. Se a jovem dama tivesse um irmão ou um amigo, este deveria chicoteá-lo. Por Deus! – continuou ele, ficando vermelho ao ver o desprezo no rosto do homem. – Isto não faz parte dos meu deveres com minha cliente, mas tenho aqui um chicote de caça bem à mão e acho que devo... – ele deu dois rápidos passos em direção ao chicote, mas antes que pudesse segurá-lo ouviu-se um ruído selvagem de passos na escada, a pesada porta da entrada bateu e pela janela nós pudemos ver o senhor James Windibank correndo em velocidade máxima rua abaixo.

– Lá vai um patife desalmado! – disse Holmes, rindo enquanto se atirava em sua cadeira outra vez. – Ele vai pular de crime em crime até fazer algo realmente mau, e terminará na forca. O caso foi, de alguma forma, não totalmente desprovido de interesse.

– Eu ainda não entendi todos os passos do seu raciocínio – observei.

– Bem, era óbvio desde o começo que esse senhor Angel tinha um firme propósito na sua conduta, e estava igualmente claro, pelo que podíamos deduzir, que o único homem realmente beneficiado pelo incidente era o padrasto. Então o fato de os dois homens nunca coincidirem e um só aparecer quando o outro estivesse fora foi revelador. E também havia os óculos escuros e a voz curiosa, que sugeriam um disfarce, assim como as grossas suíças. Minhas suspeitas foram todas confirmadas pelo peculiar fato de que a assinatura foi datilografada, o que certamente implicava que a escrita era tão familiar para a senhorita que ela a reconheceria mesmo num trecho tão pequeno. Esses fatos isolados, unidos com vários outros pequenos indícios, apontavam na mesma direção.

– E como os confirmou?

– Depois de identificar o homem, foi fácil. Eu conhecia a empresa para a qual ele trabalhava. Com a descrição física publicada no anúncio, eliminei tudo o que pudesse ser resultado de disfarce – as suíças, os óculos, a voz – e enviei o relato para o escritório, com o pedido de que me informassem se coincidia com a descrição de algum de seus empregados. Eu já havia notado as peculiaridades da máquina de escrever, e escrevi para o próprio suspeito em seu endereço profissional, pedindo que viesse aqui. Como eu esperava, a resposta foi datilografada e revelou os mesmos defeitos triviais, porém característicos. A mesma entrega de correio trouxe-me uma carta da Westhouse & Marbank, da Fenchurch Street, dizendo que a descrição coincidia em todos os aspectos com a de seu empregado James Windibank. *Voilà tout!**

– E a senhorita Sutherland?

– Se eu contar a ela, não acreditará. Você deve lembrar do velho ditado persa: "Há perigo para aquele que tira a cria de um tigre, e perigo também para aquele que arranca a ilusão de uma mulher". Há tanta razão em Hafiz como em Horácio, assim como conhecimento do mundo.

---

* "Voilà tout": eis tudo. Em francês no original. (N. do E.)

O mistério do vale Boscombe

Um dia, tomávamos café-da-manhã, minha mulher e eu, quando a criada trouxe um telegrama. Era de Sherlock Holmes, e dizia o seguinte:

"Tem alguns dias de folga? Acabo de receber um telegrama do Oeste da Inglaterra sobre a tragédia no vale Boscombe. Agradecerei se puder vir comigo. Ar e cenário perfeitos. Deixamos Paddington às 11h15".

– E então, querido? – disse minha mulher, olhando-me por cima da mesa. – Você irá?

– Eu realmente não sei o que responder. Tenho uma lista bem grande de coisas para fazer.

– Oh, Anstruther fará o seu trabalho. Você tem estado um pouco pálido ultimamente. Acho que a mudança de ares lhe fará bem, e você está sempre interessado nos casos do senhor Sherlock Holmes.

– Seria uma ingratidão não ir, considerando o que ganhei com um dos casos – respondi. – Mas, se eu for, devo fazer as malas logo, pois tenho somente meia hora.

Minha experiência militar de campanha no Afeganistão teve pelo menos o efeito de transformar-me num viajante ágil e preparado. Minhas necessidades pessoais eram poucas e simples, de modo que, em menos tempo que o normal, eu já estava em uma carruagem de aluguel com minha valise, indo para a estação Paddington. Sherlock Holmes andava de um lado para outro na plataforma, com sua silhueta alta e magra ainda mais magra e alta por causa da longa capa de viagem cinza e do boné ajustado na cabeça.

– É realmente muito bom que tenha vindo, Watson – disse ele. – Ter ao meu lado alguém em quem eu confio plenamente faz realmente muita diferença para mim. A ajuda da polícia local é sempre ou inútil ou parcial. Se você quiser subir e guardar os dois assentos do canto, eu vou comprar os bilhetes.

Tínhamos o vagão inteiro somente para nós, à exceção de uma imensa quantidade de papéis que Holmes havia trazido. Ele os remexeu e leu, com intervalos para tomar notas e meditar, até que tivéssemos passado de Reading. Então, subitamente os enrolou em uma gigantesca bola e atirou-os no bagageiro.

– Você ouviu alguma coisa sobre o caso? – ele perguntou.

– Nem uma palavra. Faz dias que não vejo um jornal.

– A imprensa de Londres não deu informações muito completas. Estive agora dando uma olhada nos jornais mais recentes para saber os detalhes. Parece, pelo que entendi, ser um daqueles casos simples que são extremamente difíceis de resolver.

– Isso soa meio paradoxal.

– Mas é profundamente verdadeiro. A singularidade é quase que invariavelmente uma pista. Quanto menos elaborado e mais lugar-comum um crime for, mais difícil será de resolver. Neste caso, no entanto, eles suspeitam seriamente do filho do homem assassinado.

– É um assassinato, então?

– Bem, supõe-se que sim. Eu não considerarei nada certo até que tenha a oportunidade de conferir os fatos pessoalmente. Em poucas palavras e até onde consegui entender, contarei a você como as coisas estão.

"O vale Boscombe é um distrito rural não muito distante de Ross, em Herefordshire. O maior proprietário de terras na região é o senhor John Turner, que enriqueceu na Austrália e voltou à terra natal há alguns anos. Uma das fazendas que ele possuía, a de Hatherley, foi arrendada ao senhor Charles McCarthy, que também esteve na Austrália. Os dois se conheceram nas colônias, e por isso não foi estranho que, ao voltar, se estabelecessem o mais perto possível um do outro. Turner, aparentemente, era o mais rico, e então McCarthy virou o seu arrendatário, mas ambos se tratavam, segundo o que parece, em condições de igualdade, já que estavam freqüentemente juntos. Ambos eram viúvos. McCarthy tinha um filho, um jovem de dezoito anos, e Turner tinha apenas uma filha, da mesma idade. Eles aparentemente evitavam a vida social das famílias inglesas vizinhas, embora os dois McCarthy fossem apreciadores de esportes e fossem vistos freqüentemente nas corridas de cavalos das redondezas. McCarthy tinha dois empregados – um homem e uma garota. Turner possuía um considerável aparato doméstico, de pelo menos meia dúzia de criados. Isso foi o máximo que pude saber sobre as famílias. Agora, os fatos.

"Em 3 de junho – ou seja, na última segunda-feira –, McCarthy deixou a sua casa em Hatherley mais ou menos às três horas da tarde e caminhou até o lago Boscombe, formado pelo alargamento de um rio que corre pelo vale de mesmo nome. Ele havia estado em Ross pela manhã com seu criado e dito ao homem que se apressasse, pois tinha um compromisso importante às três da tarde. Ele não voltou vivo desse compromisso.

"A distância da sede da fazenda Hatherley ao lago Boscombe é de quatrocentos metros, e duas pessoas dizem que o viram passando pelas suas propriedades.

Uma foi uma velha senhora, cujo nome não é mencionado, e a outra foi William Crowder, um guarda de caça a serviço do senhor Turner. As duas testemunhas disseram no depoimento que o senhor McCarthy caminhava sozinho. O guarda de caça acrescenta que, alguns minutos depois de tê-lo visto passar, ele viu o filho, James McCarthy, ir na mesma direção com uma arma embaixo do braço. Pelo que disse, o pai ainda podia ser visto no caminho naquele momento, e o filho o seguia. Ele não pensou mais no assunto até que, ao anoitecer, teve a notícia da tragédia ocorrida.

"Os dois McCarthy ainda foram vistos depois do momento em que William Crowder, o guarda de caça, perdeu-os de vista. O lago Boscombe é cercado de vegetação cerrada, com apenas uma borda de capim e juncos perto das margens. Uma menina de quatorze anos, Patience Moran, filha do caseiro da fazenda Vale Boscombe, estava num dos bosques colhendo flores. Ela declarou que, enquanto estava lá, viu o senhor McCarthy e o filho na extremidade do bosque, junto ao lago, e eles pareciam discutir violentamente. Ela ouviu o senhor McCarthy mais velho usando uma linguagem muito pesada com o filho e viu o mais jovem erguer a mão como se fosse bater no pai. Ficou tão amedrontada pela violência deles que saiu correndo e disse à mãe, quando chegou em casa, que havia deixado os dois McCarthy discutindo perto do lago Boscombe e que temia que os dois brigassem. Mal havia dito essas palavras quando o jovem senhor McCarthy veio correndo para a casa para dizer que havia encontrado o pai morto no bosque e pedir a ajuda do caseiro. Ele estava muito excitado, sem a arma e o chapéu, e as testemunhas observaram que a mão e a manga do lado direito estavam manchadas com sangue fresco. Seguindo-o, eles acharam o corpo do pai do rapaz estendido no capim, à beira do lago. A cabeça havia sido golpeada repetidas vezes com uma arma pesada e sem fio. Os ferimentos poderiam muito bem ter sido causados pela coronha da arma do filho, que foi encontrada no capim a alguns passos do corpo. Sob essas circunstâncias, o jovem homem foi instantaneamente preso, o inquérito judicial foi encerrado na terça-feira com o veredicto de "assassinato doloso", na quarta-feira ele foi levado ao tribunal em Ross, e os magistrados marcaram a apreciação do caso para a próxima sessão. Esses são os principais fatos, como foram apresentados diante do legista-chefe e do juizado."

– Não consigo imaginar um caso mais condenatório – observei. – Se é que em algum outro caso as provas circunstanciais apontaram com mais exatidão para um criminoso.

– Provas circunstanciais são bastante enganosas – respondeu Holmes pensativamente. – Elas podem apontar inteiramente para uma direção, mas, se você mudar um pouco o seu ponto de observação, pode encontrá-las apontando de uma maneira igualmente descomprometida para uma direção completamente diferente. Deve-se admitir, no entanto, que as provas contra o jovem são bastante graves, e é bem possível que ele seja mesmo o culpado. Há muitas pessoas na vizinhança, no entanto, e entre elas a senhorita Turner, filha do vizinho e dono das terras, que acreditam na sua inocência e que contataram Lestrade, de quem você deve lembrar por sua conexão com o caso Um estudo em vermelho, pedindo que revisse o caso em favor do rapaz. Lestrade, estando muito perplexo, confiou o caso a mim, e é por isso que dois homens de meia-idade estão viajando para o oeste a oitenta quilômetros por hora, em vez de estar em casa digerindo silenciosamente o seu café-da-manhã.

– Temo – disse eu – que os fatos sejam tão óbvios que você terá dificuldades em tirar algum crédito desse caso.

– Não há nada mais enganoso que um fato óbvio – ele respondeu, rindo. – Além do mais, nós teremos a chance de descobrir outros fatos óbvios que não pareceram de nenhuma maneira óbvios para o senhor Lestrade. Você me conhece bem demais para pensar que estou me gabando quando digo que sou capaz de confirmar ou destruir essa teoria usando meios que ele é incapaz de empregar, ou mesmo de entender. Para usar o primeiro exemplo à mão, percebo com clareza que no seu quarto de dormir a janela fica do lado direito, e me pergunto se o senhor Lestrade teria notado algo tão evidente quanto isso.

– Mas como...!

– Meu caro companheiro, eu o conheço bem. Conheço a limpeza militar que o caracteriza. Você barbeia-se todas as manhãs, e nesta época do ano barbeia-se à luz do dia; mas como a sua barba está cada vez menos bem-feita à medida que vamos olhando para a esquerda, até que se torna positivamente malfeita depois que passamos da mandíbula, fica muito claro que esse lado é menos iluminado que o outro. Eu não consigo imaginar um homem com os seus hábitos olhando-se numa boa luz e ficando satisfeito com esse resultado. Eu só comento isso como um exemplo trivial de observação e dedução. Nisso reside o meu *métier*, e é possível que seja útil na investigação que nos espera. Há um ou dois detalhes que foram citados no inquérito e que merecem consideração.

– Quais são?

– Parece que a prisão não foi feita imediatamente, mas depois do retorno à fazenda Hatherley. Quando o inspetor informou a ele que era um prisioneiro, ele observou que não estava surpreso e que era o que merecia. Essa observação teve o natural efeito de remover qualquer traço de dúvida que houvesse restado nas mentes dos investigadores.

– Foi uma confissão – bradei.

– Não, já que foi seguida de uma declaração de inocência.

– Vinda como ápice de uma série de condenáveis eventos, foi uma frase no mínimo muito suspeita.

– Pelo contrário – disse Holmes –, é a mais brilhante abertura que posso ver entre as nuvens no momento. Por mais inocente que fosse, ele não poderia ser um imbecil tão absoluto e ignorar que as circunstâncias eram muito adversas para ele. Se parecesse surpreso ao ser preso, ou tivesse mostrado indignação, eu teria visto isso como altamente suspeito, porque essa surpresa ou cólera não seriam naturais sob essas circunstâncias e pareceriam mais coisa de um homem calculista. A sua franca aceitação da situação caracteriza-o como um homem inocente ou como um homem de considerável autocontrole e firmeza. Sobre a declaração dele a respeito do que merecia, também não é anormal, se você considerar que ele esteve ao lado do corpo morto do pai e que não há dúvidas de que, naquele mesmo dia, havia esquecido seu dever filial discutindo com ele, e até, de acordo com o importante testemunho da garota, chegou a erguer a mão como se fosse agredi-lo. A autocensura e o arrependimento que aparecem na sua declaração me parecem vir de uma mente saudável e não de uma mente culpada.

Sacudi a cabeça, negativamente:

– Muitos homens foram enforcados por causa de provas muito mais frágeis – observei.

– Sim. E muitos foram enforcados por engano.

– Qual é a versão do jovem para o que aconteceu?

– Temo que não seja muito encorajadora para seus defensores, embora haja um ou dois pontos reveladores. Está aqui, você mesmo pode ler.

Ele tirou do meio dos papéis uma cópia do jornal de Herefordshire e, virando a página, apontou para um parágrafo no qual o desafortunado homem dava diante do júri o seu testemunho sobre o ocorrido. Acomodei-me no canto do vagão e li cuidadosamente. Dizia o seguinte:

"O senhor James McCarthy, filho único do falecido, foi chamado e deu o seguinte depoimento: – Eu tinha estado fora de casa por três dias, em Bristol, e havia retornado na manhã da última segunda-feira, dia 3. Meu pai estava fora na hora em que cheguei, e fui informado pela criada que ele havia ido a Ross com John Cobb, o cavalariço. Logo depois que cheguei, ouvi as rodas da sua carruagem no jardim e, olhando pela janela, vi-o saltar rapidamente para fora, embora não soubesse em qual direção. Então peguei minha arma e saí rumo ao lago Boscombe, com a intenção de ir até as tocas de coelhos que ficam do outro lado. No caminho, vi William Crowder, o guarda de caça, como ele disse em seu depoimento, mas ele está equivocado ao dizer que eu seguia o meu pai. Eu não tinha idéia de que ele estivesse caminhando na minha frente. A cerca de noventa metros do lago, ouvi o grito de *Cooee!*, que era um sinal costumeiramente usado entre meu pai e eu. Então corri e encontrei-o em pé ao lado da piscina. Ele pareceu muito surpreso em ver-me e perguntou-me de maneira algo rude o que eu fazia ali. Seguiu-se uma conversação que chegou a gritos e quase às vias de fato, já que meu pai era um homem de temperamento muito violento. Vendo que ele estava perdendo o controle, saí, e voltei em direção à fazenda Hatherley. Não havia caminhado mais que 140 metros, no entanto, quando ouvi um grito terrível atrás de mim, o que me fez voltar correndo. Encontrei meu pai agonizando no chão, com a cabeça terrivelmente ferida. Larguei minha arma e tomei-o nos braços, mas ele expirou quase no mesmo instante. Fiquei ajoelhado a seu lado por alguns minutos e então caminhei até a casa do senhor Turner, que era a mais próxima, para pedir ajuda. Não vi ninguém perto de meu pai quando voltamos, e não tenho idéia de como foi ferido. Ele não era um homem popular, pois era um pouco frio e severo, mas não tinha, que eu saiba, nenhum inimigo. Não sei mais nada sobre o assunto.

"O investigador: 'O seu pai lhe disse alguma coisa antes de morrer?'

"Testemunha: 'Ele murmurou algumas palavras, mas eu só consegui entender que aludia a um rato.'

"O investigador: 'O que o senhor entendeu disso?'

"Testemunha: 'Não fez nenhum sentido para mim. Pensei que ele delirava.'

"O investigador: 'Qual foi o motivo da discussão entre o senhor e o seu pai?'

"Testemunha: 'Eu preferiria não responder.'

"O investigador: 'Temo que eu seja obrigado a pressioná-lo.'

"Testemunha: 'É realmente impossível responder. Mas posso assegurar que não há nenhuma relação com a triste tragédia que se seguiu.'

"O investigador: 'Isso quem deve decidir é a corte. Não preciso dizer que a sua recusa em responder poderá prejudicá-lo consideravelmente nos procedimentos que se seguirão.'

"Testemunha: 'Ainda assim, preciso me recusar.'

"O investigador: 'Segundo entendi, o grito de *Cooee!* era um sinal costumeiro usado entre o senhor e o seu pai?'

"Testemunha: 'Era.'

"O investigador: 'Como, então, ele deu esse grito antes de vê-lo e antes mesmo que soubesse que o senhor havia retornado de Bristol?'

"Testemunha (consideravelmente confuso): 'Não sei.'

"Membro do júri: 'O senhor não viu nada que levantasse suspeitas quando retornou após ouvir o grito e encontrou seu pai mortalmente ferido?'

"Testemunha: 'Nada definido.'

"O investigador: 'O que quer dizer com isso?'

"Testemunha: 'Eu estava tão perturbado quando corri para o local que não conseguia pensar em mais nada a não ser em meu pai. Ainda assim, tenho a impressão de que, passei por alguma coisa caída ao solo à minha esquerda. Pareceu ser algo de cor cinza, algum tipo de capa, ou talvez uma manta. Quando me levantei, depois de tentar socorrer meu pai, olhei à volta procurando o objeto, mas não estava mais ali.'

"'O senhor quer dizer que desapareceu antes que o senhor fosse buscar ajuda?'

"'Sim, desapareceu.'

"'Não consegue dizer o que era?'

"'Não, só senti que havia alguma coisa lá.'

"'A que distância do corpo?'

"'Cerca de onze metros.'

"'E a que distância das árvores?'

"'Também cerca de onze metros.'

"'Então, se foi levado, isso ocorreu enquanto o senhor estava a onze metros do objeto?'

"'Sim, mas eu estava de costas para ele.'

"Com isso, foi concluído o interrogatório da testemunha."

– Vejo – disse eu enquanto terminava de ler – que o investigador foi bastante severo com o jovem McCarthy nas suas conclusões. Ele chama atenção, e com razão, para a incongruência do fato de seu pai ter lhe chamado antes de vê-lo e também para a sua recusa em dar detalhes sobre a sua conversa com o pai, e a descrição singular das últimas palavras do pai. Todos esses fatos são, como o investigador observa, bastante fortes contra o filho.

Holmes riu sozinho e esticou-se no assento acolchoado.

– Tanto você quanto o chefe da investigação se esforçaram – disse ele – para salientar os pontos mais fortes em favor do jovem. Vocês não vêem que lhe dão alternadamente, crédito por ter muita e nenhuma imaginação? Em escassez, por não poder inventar um motivo para a discussão que pudesse conquistar a simpatia do júri. Em excesso, por tentar inventar algo tão *outré*[10] como uma referência de um moribundo a um rato, e também o incidente da roupa que se desmaterializa. Não, senhor, considerarei esse caso pelo ponto de vista de que o que esse jovem diz é verdade, e veremos onde essa hipótese nos levará. Agora, eis aqui a minha edição de bolso de Petrarca, e nenhuma palavra mais direi sobre esse caso até que cheguemos à

10. Ver nota p.69. (N. do E.)

cena do crime. Almoçaremos em Swindon. Vejo que estaremos lá em vinte minutos.

Já eram quase quatro horas quando, depois de passar pelo belo vale Stroud e sobre o brilhante rio Severn, afinal chegamos à pequena e bonita cidade interiorana de Ross. Um homem magro com cara de furão e aparência dissimulada e astuta nos esperava na estação. Apesar da gabardine marrom-claro e das calças de couro que havia vestido em deferência ao entorno rústico em que se encontrava, não tive dificuldade em reconhecer Lestrade, da Scotland Yard. Com ele fomos para o Hereford Arms, onde um quarto já estava pronto à nossa espera.

– Pedi uma carruagem – disse Lestrade, quando nos sentamos para tomar uma xícara de chá. – Conheço a sua natureza enérgica e sei que não ficará feliz até ir à cena do crime.

– Isso foi muito simpático e amável de sua parte – respondeu Holmes. – É tudo uma questão de pressão barométrica.

Lestrade olhou-o espantado.

– Não entendo – disse.

– Como está o barômetro? Entendo, vinte e nove, muito bem. Sem vento e nenhuma nuvem no céu. Tenho uma caixa cheia de cigarros que precisam ser fumados, e o sofá é bem superior às abominações encontradas em hotéis de campo. Não creio que eu vá usar a carruagem nesta noite.

Lestrade riu com indulgência.

– Não há dúvidas, você já tirou suas conclusões pelos jornais – disse ele. – O caso é claro como o dia e, quanto mais se sabe a respeito, mais simples fica. No entanto, é claro, ninguém pode contrariar uma dama, ainda mais alguém decidida. Ela ouviu falar do senhor e quer sua opinião, apesar de eu ter, repetidas vezes, dito a ela que não havia nada que eu pudesse fazer que já não tivesse feito. Por Deus! Eis a carruagem dela.

Ele mal havia terminado de falar e entrou na sala uma das jovens mais belas que eu já havia visto em toda a minha vida. Tinha os olhos violeta brilhantes, os lábios entreabertos, as bochechas rosadas, e toda a sua natural reserva era suprimida pela excessiva excitação e ansiedade.

– Oh, senhor Sherlock Holmes – ela gemeu, olhando alternadamente para nós dois e, finalmente, com a rápida intuição das mulheres, fixando-se em meu companheiro. – Estou muito feliz que tenha vindo. Vim aqui para dizer isto. Sei que James não é culpado. Sei, e gostaria que o senhor começasse o seu trabalho sabendo disso também. Nunca se permita duvidar desse ponto. Nos conhecemos desde crianças, e conheço seus defeitos como ninguém. Ele tem o coração mole demais até para machucar uma mosca. Essa acusação é absurda para qualquer pessoa que o conheça.

– Espero que possamos inocentá-lo, senhorita Turner – disse Sherlock Holmes. – A senhorita pode confiar que farei tudo o que puder.

– O senhor leu o processo. Tem alguma opinião? Vê alguma saída, alguma falha? O senhor não acha que ele é inocente?

– Acho que é bastante provável.

– Aí está! – ela gritou, atirando a cabeça para trás e olhando desafiadoramente para Lestrade. – O senhor ouviu! Ele me dá esperanças.

Lestrade encolheu os ombros.

– Temo que meu colega tenha chegado a conclusões rápido demais – disse ele.

– Mas ele está certo. Oh! Sei que está certo. James

é inocente. E, sobre a discussão com o pai, tenho certeza de que a razão pela qual ele não a relata para o investigador é porque eu estou envolvida nela.

– De que forma? – perguntou Holmes.

– Não é momento de esconder nada. James e seu pai tinham várias divergências a meu respeito. O senhor McCarthy estava ansioso para que nos casássemos. James e eu sempre nos amamos como irmão e irmã, mas, é claro, ele é jovem e viu pouco da vida, e, e... bem, naturalmente não desejava isso no momento. Houve discussões, e esse, tenho certeza, foi um dos motivos.

– E o pai da senhorita? – perguntou Holmes. – Ele era favorável a essa união?

– Não, ele também era contra. Somente o senhor McCarthy era a favor.

Um rubor passou por sua jovem face quando Holmes disparou um de seus olhares penetrantes e inquisidores.

– Obrigado por essa informação – disse ele. – Se eu for à fazenda amanhã, poderei ver seu pai?

– Temo que o doutor não permita.

– O doutor?

– Sim, o senhor não soube? O pobre papai não tem tido boa saúde nos últimos anos, e esse incidente o arrasou completamente. Ele está acamado, e o doutor Willows diz que seu sistema nervoso está esgotado. O senhor McCarthy era o único homem ainda vivo que conhecia meu pai dos velhos tempos em Victoria.

– Ah! Em Victoria! Isso é importante.

– Sim, nas minas.

– Entendo. Nas minas de ouro onde, pelo que sei, o senhor Turner enriqueceu.

– Sim, certamente.

– Obrigado, senhorita Turner. A senhorita foi de muita ajuda.

– Me diga se tiver alguma novidade amanhã. Não há dúvida de que irá à prisão ver James. Oh, se for, senhor Holmes, diga a ele que eu sei que é inocente.

– Direi, senhorita Turner.

– Tenho que ir para casa agora, porque papai está muito doente e sente muito a minha falta. Adeus, e que Deus o ajude na sua tarefa.

Ela saiu correndo da sala tão impulsivamente quanto havia entrado, e ouvimos as rodas da carruagem descendo a rua.

– Estou envergonhado por você, Holmes – disse Lestrade com dignidade, depois de alguns minutos de silêncio. – Por que faz nascer esperanças que está prestes a destruir? Eu não sou um sentimental, mas chamo isso de crueldade.

– Creio que sei como inocentar James McCarthy – disse Holmes. – Você tem uma ordem para vê-lo na prisão?

– Sim, mas somente para você e para mim.

– Então devo reconsiderar minha decisão sobre sair. Ainda temos tempo de pegar um trem para Hereford e vê-lo hoje à noite?

– De sobra.

– Então vamos. Watson, temo que você vá achar muito demorado, mas eu só ficarei fora por algumas horas.

Caminhei até a estação com eles e depois percorri as ruas da pequena cidade, finalmente retornando para o hotel, onde sentei no sofá e tentei interessar-me por um folhetim. O enredo, no entanto, era muito fraco, se comparado ao profundo mistério que estávamos tateando, e a minha atenção mudava constantemente da ficção para a realidade. Acabei jogando o livro no outro lado da sala e entreguei-me à análise dos acontecimentos do dia. Supondo que a história desse infeliz jovem fosse absolutamente verdadeira, então que terrível coisa, que absolutamente inesperada e extraordinária calamidade pode ter ocorrido durante o tempo em que deixou o pai e o momento em que, atraído pelos gritos deste, correu para a clareira? Foi algo terrível e mortal. O que poderia ter sido? A natureza dos ferimentos não revelaria algo aos meus instintos de médico? Toquei a campainha e pedi o jornal semanal do condado, que continha uma cópia literal do inquérito. O testemunho do cirurgião dizia que o terço posterior do osso parietal esquerdo e a metade esquerda do osso occipital haviam sido quebrados por pesados golpes de uma arma sem fio. Toquei no local na minha própria cabeça. Esse golpe claramente deveria ter sido desferido pelas costas. Isso, de alguma maneira, favorecia o acusado, já que, ao discutir, tinha sido visto frente a frente com o pai. Ainda assim, não servia muito, pois o homem mais velho poderia ter se virado antes de receber o golpe. Ainda assim, seria útil chamar a atenção de Holmes para isso. Havia ainda a referência peculiar a um rato feita pelo moribundo. O que poderia significar? Não poderia ser um delírio. Um homem morrendo por causa de um golpe súbito normalmente não delira. Não, parecia mais uma tentativa de explicar o que havia ocorrido. Mas o que indicaria? Queimei os miolos pensando numa possível explicação. E havia também a questão do pano cinza, visto pelo jovem McCarthy. Se era verdade, o assassino teria deixado cair uma peça de sua vestimenta, possivelmente o sobretudo, na pressa, e teve a audácia de voltar e pegá-lo enquanto o filho estava ajoelhado, de costas, a menos de doze passos de distância. Que enredo de mistérios e improbabilidades! Eu não me surpreendia com a opinião de Lestrade, mas tinha tanta fé na intuição de Sherlock Holmes que não podia perder a esperança, ainda mais porque cada fato novo parecia fortalecer a sua convicção na inocência do jovem McCarthy.

Já era tarde quando Sherlock Holmes retornou. Ele voltou sozinho, pois Lestrade estava hospedado num alojamento na cidade.

– O barômetro ainda está muito alto – ele observou, ao sentar. – É importante que não chova até que vejamos o local. Por outro lado, um homem deve estar na sua melhor forma e com os sentidos aguçados para um agradável trabalho como esse, e eu não quero fazê-lo estando cansado por causa de uma longa viagem. Vi o jovem McCarthy.

– E o que concluiu?

– Nada.

– Ele não jogou nenhuma luz sobre o caso?

– Nenhuma. Estive inclinado a pensar em um certo momento que ele sabia quem era o autor do crime, e estava protegendo a ele ou a ela, mas estou convencido agora de que está tão perdido quanto todos os outros. Ele não é um jovem muito esperto, embora seja bonito e, creio, honesto.

– Não posso admirar o gosto dele – observei –, se é verdade que não queria casar-se com uma jovem tão encantadora como a senhorita Turner.

– Ah, aí há uma história triste. Aquele rapaz é louco, insanamente apaixonado por ela, mas há dois anos, quando era apenas um adolescente e antes de realmente conhecê-la, já que ela tinha estado fora durante cinco anos no colégio interno, o que o idiota fez? Meteu-se com uma garçonete em Bristol e casou-se com ela no cartório! Ninguém sabe nada disso, mas você pode imaginar o quão enlouquecedor deve ser para ele ser censurado por não fazer o que daria até os olhos para poder fazer, mas que sabe ser absolutamente impossível. Foi essa loucura que o fez levantar a mão quando o pai, na sua última conversa, o incitava a pedir a mão da senhorita Turner. Por outro lado, ele não tinha meios de sustentar-se, e seu pai, que parecia ser um homem muito severo, o teria expulsado se soubesse a verdade. Era com a garçonete que ele havia passado os últimos três dias em Bristol, e o pai não sabia onde ele estava. Lembre-se desse ponto. Ele é importante. Algo bom surgiu da tragédia, no entanto, já que a garçonete, descobrindo pelos jornais que ele estava numa enrascada e a ponto de ser enforcado, abandonou-o imediatamente e escreveu uma carta dizendo que já tinha um marido em Bermuda Dockyard e que na realidade não havia nenhum laço que os unisse. Creio que essa pequena notícia consolou o jovem McCarthy por tudo o que sofreu.

– Mas, se ele é inocente, quem é o culpado?

– Ah! Quem? Eu chamaria a sua atenção particularmente para dois pontos. Um, é o de que o homem assassinado tinha um encontro com alguém junto ao lago, e que essa pessoa pode não ter sido o seu filho, já que este estava viajando e o pai não sabia quando retornaria. O segundo, é que se ouviu o homem assassinado gritar *Cooee!* antes que soubesse da volta do filho. Esses são os pontos cruciais sobre os quais repousa o caso. E agora vamos falar com George Meredith e deixemos os pontos menores para amanhã.

Não chovia, como Holmes havia previsto, e a manhã começou com céu brilhante e sem nuvens. Às nove horas, Lestrade chegou com a carruagem e saímos para a fazenda Hatherley e o lago Boscombe.

– Há sérias notícias nesta manhã – observou Lestrade. – Dizem que o senhor Turner está tão doente que se teme por sua vida.

– É um homem idoso, presumo? – disse Holmes.

– Cerca de sessenta anos. Mas seu organismo está destruído pelo trabalho na Austrália, e ele tem a saúde frágil já há algum tempo. Além disso, esse acontecimento teve um efeito muito ruim sobre ele. Ele era um velho amigo de McCarthy e, devo adicionar, um grande benfeitor para ele. Ouvi dizer que arrendava a fazenda Hatherley de graça.

– Deveras? Isso é interessante – disse Holmes.

– Oh, sim. Ele ajudou McCarthy de uma centena de outras maneiras. Todo mundo aqui fala da sua bondade com ele.

– Realmente! Não lhe parece um pouco estranho que esse McCarthy, que parece ter tido poucos bens, e que tinha tantas obrigações com Turner, ainda falasse a respeito de casar seu filho com a filha de Turner, que é, presumo, herdeira das propriedades, e isso tudo como se o caso fosse de uma mera proposta e todo o resto viria naturalmente? E tornou-se ainda mais estranho desde que soubemos que o próprio Turner era contra a idéia. Foi o que nos disse a filha. Você não deduz nada a partir disso?

– Cá estamos nós com deduções e suposições – disse Lestrade, piscando para mim. – Já acho difícil tratar dos fatos, Holmes, sem sair por aí atrás de teorias e fantasias.

– Você está certo – disse Holmes contidamente –, você realmente acha difícil tratar dos fatos.

– De qualquer maneira, destaquei um fato com o qual você parece ter dificuldade em lidar – respondeu Lestrade com alguma cordialidade.

– E qual é?

– McCarthy pai foi morto por McCarthy filho e todas as teorias em contrário são débeis como a luz do luar.

– Bem, o luar é mais claro que a neblina – disse Holmes, rindo. – Mas estarei bastante enganado se isto, à esquerda, não for a fazenda Hatherley.

– Sim, é.

Era um prédio largo, de aparência tranqüila, com dois andares, telhado de ardósia e grandes manchas amarelas de líquen nas paredes cinzentas. As cortinas fechadas e as chaminés sem fumaça, no entanto, conferiam-lhe um aspecto de abandono, como se a tragédia ainda pesasse muito sobre ele. Chamamos à porta, e a criada, a pedido de Holmes, mostrou-nos as botas que seu patrão usava no momento da morte e também as botas do filho, embora não fossem as que ele usava na ocasião. Depois de medi-las cuidadosamente a partir de sete ou oito pontos diferentes, Holmes pediu para ser levado ao pátio, de onde todos nós seguimos pela tortuosa trilha que levava ao lago Boscombe.

Sherlock Holmes ficava transformado quando farejava pistas como aquelas. Alguém que só o conhecesse como o quieto e lógico pensador de Baker Street não o reconheceria. Seu rosto ficava corado e sério. Suas sobrancelhas transformavam-se em duas linhas duras e pretas, e seus olhos cintilavam sob elas com um brilho de aço. A cabeça ficava abaixada, os ombros, arqueados, os lábios, comprimidos, e as veias no seu longo e forte pescoço ficavam tensas como as correias de um chicote. Suas narinas pareciam dilatar-se como as de um animal que persegue a presa, e sua mente estava tão absolutamente concentrada no caso que uma pergunta ou observação não seriam ouvidas, ou no máximo provocariam um rosnado rápido e impaciente como resposta. Suave e silenciosamente, ele seguiu a trilha que cortava o vale e os bosques até a piscina Boscombe. Era um terreno pantanoso e úmido, como a toda a região, e havia muitas pegadas, na trilha e também no capim curto que a ladeava. Algumas vezes, Holmes andava mais depressa, em outras, parava, e em uma das vezes fez um pequeno *détour*[11] pelo capim. Lestrade e eu caminhávamos atrás dele; o detetive, indiferente e altivo, enquanto eu observava meu amigo com o interesse que surgia da convicção de que cada uma de suas ações tinha um fim específico.

O lago Boscombe, que consiste num pequeno espelho d'água rodeado de juncos e com cerca de 45 metros de diâmetro, fica na região entre a fazenda Hatherley e o parque do rico senhor Turner. Sobre as árvores que a rodeavam, no lado mais distante, podíamos ver as torres vermelhas que marcavam o local onde morava o rico proprietário. No lado da piscina que dava para a fazenda Hatherley, a vegetação era densa, e havia uma estreita faixa de capim encharcado que se estendia por vinte passos, das árvores até o junco que margeava o lago. Lestrade nos mostrou o local exato onde o corpo foi encontrado, e, na verdade, o solo estava tão úmido que eu pude ver claramente as marcas deixadas pela queda do homem golpeado. Para Holmes, pelo que pude ver pelo rosto ansioso e os olhos observadores, muitas outras coisas podiam ser lidas no chão pisoteado. Ele percorreu o local, como um cão que fareja algo, e então se virou para o meu companheiro.

– Por que motivo você entrou no lago? – perguntou.

11. "Volta", "contorno". Em francês no original. (N. do T.)

– Fiz uma busca com um ancinho. Achei que poderia encontrar uma arma ou alguma outra pista. Mas, como...?

– Oh, silêncio! Não tenho tempo. Esse seu pé esquerdo com essa deformação para dentro está por todo lado. Uma toupeira poderia vê-lo, e lá ele desaparece entre os juncos. Oh, como seria simples se eu pudesse ter estado aqui antes que eles viessem como uma tropa de búfalos e sujassem tudo. Aqui foi onde o grupo com o caseiro chegou, e eles destruíram todas as marcas por cerca de dois metros ao redor do corpo. Mas aqui estão três trilhas separadas dos mesmos pés.

Ele sacou uma lente e deitou-se sobre a sua capa impermeável para ver melhor, falando todo o tempo, mais para si mesmo que conosco.

– Estes são os pés do jovem McCarthy. Em duas das vezes ele caminhava, e em uma delas ele corria tão rápido que as solas estão marcadas com profundidade, e os calcanhares estão difíceis de distinguir. Isso confirma a sua história. Ele correu quando viu o pai no chão. Ali estão os pés do pai, enquanto andava para lá e para cá. O que é isto, então? É a marca da coronha da arma, feita enquanto o filho estava parado, ouvindo o pai. E isto? Ah, ah! O que temos aqui? Pontas de pés! Botas quadradas, muito incomuns! Elas vêm, vão, vêm de novo – obviamente estas foram para pegar o casaco. Agora, de onde elas vieram?

Ele correu para cima e para baixo, algumas vezes perdendo, outras encontrando a trilha, até que estivéssemos na borda do bosque e sob a sombra de uma grande faia, a árvore mais alta das redondezas. Foi até o ponto mais afastado desta e deitou-se novamente de barriga para baixo com um pequeno grito de satisfação. Ficou lá por um longo tempo, revirando as folhas e os galhos secos, recolhendo num envelope o que para mim pareceu ser poeira e examinando com suas lentes de aumento não só o solo, mas a casca da árvore até a altura que conseguia alcançar. Uma pedra dentada estava atirada em meio ao musgo, e esta ele também examinou cuidadosamente e guardou. Então seguiu uma trilha pelo bosque até sair na estrada, onde todas as pistas se perdiam.

– Este foi um caso de considerável interesse – ele observou, voltando ao seu estado normal. – Imagino que essa casa cinza à direita seja a do caseiro. Creio que entrarei para falar com Moran e talvez escrever um pequeno bilhete. Depois de fazer isso, podemos voltar para almoçar. Vão para a carruagem, e eu me juntarei a vocês em breve.

Levamos cerca de dez minutos para chegar à nossa carruagem e voltar para Ross, com Holmes ainda carregando a pedra que havia recolhido no bosque.

– Isto pode interessar-lhe, Lestrade – ele observou, segurando-a. – É a arma do assassinato.

– Não vejo marcas.

– Não há.

– Como sabe, então?

– Havia capim crescendo sob ela. Estava ali há apenas alguns dias. Não havia sinal de um lugar de onde ela pudesse ter sido tirada. O formato corresponde aos ferimentos. Não há sinal de qualquer outra arma.

– E o assassino?

– É um homem alto, canhoto, que manca da perna direita, usa botas de caça de solado grosso e uma capa cinza, fuma charutos indianos, usa uma piteira e carrega um canivete sem fio no bolso. Há muitas outras pistas, mas estas serão suficientes para nos ajudar na busca.

Lestrade riu.

– Temo que eu ainda esteja cético – disse. – Teorias me parecem sempre muito boas, mas temos que lidar com um júri britânico cabeça-dura.

– *Nous verrons*[12] – respondeu Holmes calmamente. – Você trabalha com seu método, e eu devo trabalhar com o meu. Estarei ocupado esta tarde e voltarei para Londres, provavelmente, no trem noturno.

– E deixará o caso inconcluso?

– Não, terminado.

– E o mistério?

– Está resolvido.

– Quem é o assassino, então?

– O homem que eu descrevi.

– Mas quem é ele?

– Certamente não será difícil descobrir. Esta não é uma região muito populosa.

Lestrade deu de ombros.

– Sou um homem prático – disse ele. – Eu realmente não posso andar pelo campo procurando por um homem canhoto com uma perna manca. Eu viraria motivo de riso na Scotland Yard.

– Certo – disse Holmes calmamente. – Eu lhe dei uma chance. Chegamos ao seu alojamento. Até logo. Enviarei um bilhete antes de partir.

Depois de deixar Lestrade, fomos para o hotel, onde o almoço já estava servido. Holmes estava silencioso e mergulhado em pensamentos, com uma expressão de dor no rosto, como alguém que está perplexo.

– Veja, Watson – ele disse, quando a mesa foi limpa. – Sente-se nesta cadeira e deixe-me discursar um pouco para você. Não sei bem o que fazer, e gostaria de seu conselho. Acenda um cigarro e deixe-me falar.

---

12. "Nós veremos". Em francês no original. (N. do T.)

– Peço que o faça.

– Bem, agora, consideremos que há dois pontos na história do jovem McCarthy que chamaram a nossa atenção, embora tenham me impressionado a favor dele e, no seu caso, contra ele. Um foi o fato de que o pai teria, de acordo com o relato do filho, gritado *Cooee!* antes de vê-lo. O outro foi a estranha referência que o pai fez a um rato ao morrer. Ele murmurou várias palavras, entenda, mas isso foi tudo o que o filho conseguiu ouvir. Nossa busca deve começar por esses dois pontos, e devemos presumir que o que o rapaz diz é verdadeiro.

– E sobre esse grito de *Cooee!*?

– Bem, obviamente poderia não ter sido dirigido ao filho. O filho, até onde sabemos, estava em Bristol. Não era muito provável que estivesse por perto. O *Cooee!* era para atrair a atenção da pessoa com quem ele tinha um encontro. Mas *Cooee!* é claramente um chamado da Austrália, usado entre australianos. Presume-se que a pessoa que McCarthy esperava encontrar no lago Boscombe era alguém que havia estado na Austrália.

– E sobre o rato?

Sherlock Holmes tirou um papel dobrado do bolso e o abriu sobre a mesa.

– Isto é um mapa da colônia Victoria – disse ele. – Fui a Bristol em busca dele na noite passada.

Ele colocou a mão sobre uma parte do mapa.

– O que você lê? – perguntou.

– ARAT – li.

– E agora? – ele levantou a mão.

– BALLARAT.

– Isso mesmo. Esta foi a palavra que o homem disse, e da qual o filho entendeu as últimas duas sílabas. Ele estava tentando dizer o nome do seu assassino. Algo como Ballarat.

– É incrível! – exclamei.

– É óbvio. Com isso, veja só, eu havia estreitado as possibilidades consideravelmente. Considerando verdadeiro o depoimento do filho, a posse de uma peça de roupa cinza era um terceiro ponto dado como certo. Passamos então de uma situação vaga à definitiva busca por um australiano de Ballarat com uma capa cinza.

– Certamente.

– E alguém que estava familiarizado com a região, já que só se pode chegar à piscina pela fazenda ou pela propriedade de Turner, por onde estranhos dificilmente poderiam andar.

– Sim.

– Então surge a nossa expedição de hoje. Examinando o solo, obtive os detalhes que dei para aquele imbecil do Lestrade, assim como a personalidade do criminoso.

– Mas como conseguiu isso?

– Você conhece meus métodos. São baseados na observação das coisas insignificantes.

– A altura eu sei que você deve ter adivinhado pela largura dos seus passos. As botas foram identificadas pelo rastro deixado.

– Sim, eram botas muito peculiares.

– Mas e o fato de mancar?

– A marca do pé direito era sempre menos visível que a do esquerdo. Ele colocava menos peso sobre ele. Por quê? Porque mancava. Era coxo.

– E o fato de ser canhoto?

– Você mesmo teve a atenção atraída pela natureza do ferimento como foi relatada pelo cirurgião no inquérito. O golpe foi dado por trás, e sobre o lado esquerdo. Como isso poderia ser feito senão por um canhoto? Ele ficou escondido atrás da árvore enquanto pai e filho discutiam. Ele até fumou lá. Encontrei as cinzas de um charuto. Meu especial conhecimento sobre cinzas de tabaco permitiu identificá-lo como um charuto indiano. Dediquei, como você sabe, alguma atenção a esse tema e escrevi uma pequena monografia sobre cinzas de 140 diferentes variedades de tabaco de cachimbo, cigarro e charuto. Depois de encontrar as cinzas, olhei em volta e descobri onde ele havia jogado a ponta. Era um charuto indiano, da variedade enrolada em Rotterdam.

– E a piteira?

– Vi que a ponta do charuto não havia estado na sua boca. Ele só podia ter usado uma piteira. A ponta havia sido cortada, mas não mordida, porém o corte não era limpo, por isso deduzi que ele tinha um canivete cego.

– Holmes – disse eu –, você teceu uma rede ao redor desse homem da qual ele não pode escapar e salvou a vida de um homem inocente como se cortasse a corda na qual estava sendo enforcado. Vejo a direção para a qual todas as pistas apontam. O culpado é...

– O senhor John Turner – gritou o garçom do hotel, abrindo a porta da sala de estar e introduzindo um visitante.

O homem que entrou era um personagem estranho e impressionante. Seu passo lento e claudicante e os ombros curvados davam-lhe uma aparência decrépita, mas suas feições duras, profundas e enrugadas e seus enormes membros denotavam uma força incomum de corpo e caráter. A barba desalinhada, o cabelo grisalho e as volumosas sobrancelhas caídas combinavam-se para dar à sua aparência um ar de dignidade e força, mas seu rosto era de um branco acinzentado, e os lábios e cantos das narinas, tingidos de uma sombra azulada. Para mim, bastava olhar para perceber que ele tinha uma doença crônica e mortal.

– Tenha a bondade de sentar-se no sofá – disse Holmes gentilmente. – Recebeu meu bilhete?

– Sim, o caseiro entregou-me. O senhor disse que gostaria de ver-me aqui para evitar escândalo.

– Achei que o povo falaria se eu fosse à casa.

– E por que queria me ver?

Ele olhou para o meu companheiro com desespero em seus olhos esgotados, como se essa pergunta já estivesse respondida.

– Sim – disse Holmes, respondendo mais ao olhar do que às palavras. – É isso. Eu sei tudo sobre McCarthy.

O velho homem enterrou o rosto nas mãos.

– Deus me ajude! – gemeu. – Mas eu não deixaria que nada de mau acontecesse ao jovem. Eu dou-lhe a minha palavra de que teria confessado se ele fosse condenado.

– Fico feliz em ouvir isso – disse Holmes, com seriedade.

– Eu teria confessado agora se não fosse por minha jovem filha. Teria partido seu coração. E partirá, quando ela souber que estou preso.

– Talvez isso não ocorra – disse Holmes.

– Como?

– Eu não sou um agente oficial. Foi a sua filha quem me contratou para estar aqui, e estou atuando de acordo com os interesses dela. O jovem McCarthy precisa ser solto, no entanto.

– Sou um moribundo – disse o velho Turner. – Tenho diabetes há anos. Meu médico diz que há dúvidas de que eu viva mais um mês. Ainda assim, eu preferia morrer sob meu próprio teto, e não na prisão.

Holmes se levantou e sentou à mesa com a caneta na mão e um maço de papéis diante dele.

– Limite-se a nos dizer a verdade – disse ele. – Eu

anotarei os fatos. O senhor assinará, e Watson pode servir como testemunha. Então eu poderei utilizar a sua confissão em caso extremo para salvar o jovem McCarthy. Prometo não usá-la a menos que seja absolutamente necessário.

– Certo – disse o velho homem –, é possível que eu não viva até o julgamento, então me importa pouco, mas eu gostaria de poupar Alice do choque. E agora eu esclarecerei tudo para o senhor. Os fatos ocorreram durante muito tempo, mas não levarei muito para contá-los. O senhor não conhecia o morto, McCarthy. Ele era o demônio encarnado, é o que lhe digo. Seu peso esteve nos meus ombros durante vinte anos, e ele estragou minha vida. Primeiro, vou contar-lhe como fiquei em seu poder.

"Foi no começo dos anos 1860, nas minas. Eu era um jovem então, de sangue quente e impulsivo, pronto para fazer qualquer coisa. Tive muitas más companhias, bebia, não tive sorte com uma ação trabalhista, fugi para o bosque e tornei-me o que vocês chamariam aqui de salteador de estradas. Éramos seis e tínhamos uma vida selvagem e livre, às vezes roubando uma estação ou parando os vagões a caminho das minas. Meus codinomes eram Black Jack ou Ballarat, e nossa gangue ainda é lembrada na colônia como a gangue Ballarat.

"Um dia, um comboio com ouro desceu de Ballarat para Melbourne, e nós ficamos à espreita e o atacamos. Havia seis soldados e nós éramos em seis, e por isso foi uma disputa apertada, mas nós abatemos quatro deles na primeira saraivada. Três dos nossos foram mortos, no entanto, antes que puséssemos as mãos na carga. Coloquei minha pistola na cabeça do condutor, que era ninguém menos que McCarthy. Desejaria ter atirado nele então, mas poupei-o depois de ver seus pequenos e perigosos olhos cravados no meu rosto, como para lembrar cada um dos meus traços. Fugimos com o ouro, tornamo-nos homens ricos, e voltamos para a Inglaterra sem que ninguém suspeitasse de nós. Então eu me separei de meus antigos companheiros, decidido a estabelecer-me numa vida quieta e respeitável. Comprei esta propriedade, que estava à venda, e tratei de fazer algo bom com meu dinheiro, para compensar a maneira com que fora ganho. Casei-me, também, e, embora minha mulher tenha morrido jovem, ela me deixou minha querida Alice. Mesmo quando ainda era apenas um bebê, sua pequenina mão parecia me conduzir pela estrada da decência como ninguém antes havia conseguido fazer. Para resumir em uma palavra, virei uma nova página e fiz o melhor possível para compensar meu passado. Tudo ia bem quando McCarthy me pegou.

"Eu havia ido à cidade para tratar de um investimento e encontrei-o na Regent Street, vestido e calçado miseravelmente.

"– Aqui estamos, Jack – disse ele, tocando o meu braço –, seremos como uma família para você. Somos dois, eu e meu filho, e você pode nos abrigar. Se não o fizer... A Inglaterra é um país cumpridor de suas leis, e sempre há um policial à mão.

"Bem, então eles vieram para o oeste, não havia como me livrar deles, e viveram na minha melhor terra sem pagar nada desde então. Não havia descanso para mim, ou paz, ou esquecimento. Para onde me virasse, lá estava ele e sua vigilante e sorridente face sobre o meu ombro. Ficou pior depois que Alice cresceu, já que ele percebeu que eu tinha mais medo que ela soubesse do meu passado do que da polícia. O que ele desejasse, obtinha, e eu lhe dei terra, dinheiro, casas, sem me importar com o que fosse, até que ele me pediu o que eu não daria. Alice.

“Seu filho havia crescido, e também a minha filha, e sabia-se que eu estava com a saúde frágil. Parecia uma excelente jogada para ele que o seu rapaz entrasse na herança. Mas nisso eu fui firme. Não deixaria o seu sangue desgraçado misturar-se com o meu. Não que eu não gostasse do jovem, mas o sangue do pai estava nele, e isso era suficiente. Mantive-me firme. McCarthy ameaçou-me. Eu o desafiei a fazer o que quisesse. Combinamos de encontrar-nos na piscina, a meio caminho entre nossas casas, para falar do assunto.

“Quando desci, vi que falava com o filho, e então fumei um charuto e esperei embaixo de uma árvore até que ele estivesse sozinho. Mas, enquanto ouvia a conversa, tudo o que há de mais negro e amargo em mim pareceu falar mais alto. Ele pressionava o filho a casar-se com a minha filha sem considerar o que ela poderia pensar disso, como se ela fosse uma prostituta de rua. Deixou-me louco pensar que eu e tudo o que eu mais amava estávamos sob o poder de um homem como aquele. Eu não poderia romper essa ligação? Eu já era um homem agonizante e desesperado. Embora estivesse com a mente clara e o corpo forte, sabia que o meu destino estava selado. Mas a minha memória e a minha menina! Ambas podiam ser salvas, se eu conseguisse silenciar aquela língua imunda. E o fiz, senhor Holmes. E faria outra vez. Meus pecados foram grandes, mas tive uma vida de martírio para expiá-los. Mas que a minha filha fosse capturada na mesma rede que me aprisionou era mais do que eu poderia suportar. Golpeei-o com menos remorso do que se ele fosse um animal nojento e venenoso. O seu grito atraiu o filho de volta, mas eu havia me escondido no bosque, embora tenha sido forçado a voltar para pegar a capa que havia deixado cair na fuga. Esta é a verdadeira história sobre o que ocorreu, cavalheiros.”

– Bem, julgá-lo não é minha tarefa – disse Holmes, enquanto o velho homem assinava o testemunho que havia sido escrito. – Espero que nunca sejamos expostos a tal tentação.

– Espero que não, senhor. E o que pretende fazer?

– Considerando a sua saúde, nada. O senhor mesmo sabe que em breve terá que responder por seus atos em uma corte superior à do tribunal. Guardarei a sua confissão e, se McCarthy for condenado, serei forçado a usá-la. Se não, não será vista nunca por um olho humano, e o seu segredo, esteja o senhor vivo ou morto, estará seguro conosco.

– Adeus, então – disse o homem solenemente. – Os seus leitos de morte, quando sobrevierem, serão mais fáceis por causa da lembrança da paz que vocês trouxeram ao meu.

Cambaleando e tremendo, a sua silhueta gigante saiu lentamente da sala.

– Deus nos ajude! – disse Holmes, depois de um longo silêncio. – Por que o destino brinca dessa forma com vermes indefesos? Eu nunca vejo um caso como este sem pensar nas palavras de Baxter: “Lá, mas não pela graça de Deus, vai Sherlock Holmes”.

James McCarthy foi absolvido no tribunal por força das numerosas objeções que haviam sido delineadas por Holmes e entregues ao advogado de defesa. O velho Turner viveu ainda sete meses depois da nossa conversa, mas agora está morto, e há uma boa perspectiva de que o filho e a filha venham a viver felizmente juntos, ignorando a negra nuvem que paira sobre o passado.

As cinco sementes de laranja

Quando revejo minhas notas sobre os casos de Sherlock Holmes entre os anos 1882 e 1890, encontro tantos ainda hoje estranhos e interessantes que não é fácil saber quais escolher e quais deixar de lado. Alguns, no entanto, já ganharam publicidade nos jornais, mas outros não fizeram jus às peculiares qualidades que meu amigo possuía em tão alto grau e que estes escritos tentam ilustrar. Alguns, também, confundiram o seu talento analítico, e seriam, como narrativas, começos sem um fim, enquanto outros foram esclarecidos somente de maneira parcial, e suas explicações são mais fundamentadas em conjecturas e suspeitas do que naquelas provas totalmente lógicas que lhe eram tão caras. Há um caso deste último tipo, no entanto, que foi tão extraordinário por causa dos seus detalhes e tão impressionante pelos seus resultados que fico tentado a contá-lo, apesar do fato de que há pontos que nunca foram inteiramente esclarecidos e que provavelmente nunca serão.

O ano de 1887 legou-nos uma longa série de casos de maior ou menor interesse, sobre os quais mantenho os registros. Entre minhas notas daqueles doze meses, encontro um relato da aventura da Câmara Paradol e da Sociedade dos Mendigos Amadores, que mantinha um luxuoso clube no porão de uma loja de móveis, dos fatos conectados com a perda do barco britânico *Sophy Anderson*, das singulares aventuras dos Grice Patterson na ilha de Uffa e, finalmente, do caso de envenenamento de Camberwell. Neste último, como deve ser lembrado,

Sherlock Holmes pôde, dando corda no relógio do morto, provar que alguém havia dado corda nele duas horas antes, e que o falecido havia se deitado àquela hora – uma dedução que foi da maior importância para esclarecer o caso. Tudo isso deve tomar forma escrita numa data futura, mas nenhum deles apresenta fatos tão singulares como a estranha cadeia de circunstâncias que descreverei agora.

Aconteceu nos últimos dias de setembro, e as ventanias do equinócio haviam surgido com uma excepcional violência. O vento uivara e a chuva batera nas janelas durante todo o dia, de modo que, mesmo aqui, no coração da grande Londres fabricada pelo homem, éramos forçados a, por um instante, tirar nossas mentes da rotina da vida e reconhecer a presença dessas grandes forças da natureza que ladram para a humanidade por entre as barras da civilização, como feras selvagens enjauladas. À medida que a noite caía, a tempestade crescia mais e mais, e o vento gritava e soluçava na chaminé como uma criança. Sherlock Holmes estava sentado, de mau humor, ao lado da lareira, indexando os seus arquivos sobre crimes, enquanto eu, do outro lado, estava mergulhado em uma das ótimas histórias de Clark Russel sobre o mar, até que o uivo da tempestade lá fora pareceu misturar-se com o texto, e o ruído da chuva uniu-se ao longo som das ondas do mar. Minha mulher havia viajado para visitar a tia, e por alguns dias eu era de novo um hóspede de meus antigos aposentos em Baker Street.

– O quê? – disse eu, olhando meu companheiro. – Isso foi a campainha? Quem poderia vir nesta noite? Algum amigo seu, talvez?

– Não tenho nenhum a não ser você – ele respondeu. – Eu não encorajo visitas.

– Um cliente, então?

– Se for, é um caso sério. Nada menor poderia trazer um homem aqui num dia como este, e a esta hora. Mas eu imagino que deva ser algum amigo da senhoria.

Sherlock Holmes estava errado na sua suposição, já que ouvimos passos no corredor e batidas na porta. Ele estendeu o longo braço para afastar a lâmpada e iluminar a cadeira vazia onde o visitante sentaria.

– Entre! – disse ele.

O homem que entrou era jovem, com cerca de 22 anos, bem-cuidado e bem-vestido, com algo de refinamento e delicadeza no comportamento. O guarda-chuva encharcado que segurava na mão e o seu impermeável brilhante e longo denunciavam o tempo feroz que havia enfrentado para vir. Ele olhou ansiosamente em torno sob a luz da lâmpada, e pude ver que seu rosto estava pálido e os olhos, pesados, como os de um homem sobrecarregado por uma grande ansiedade.

– Eu devo-lhe desculpas – disse ele, levando o *pince-nez* de ouro aos olhos. – Espero não estar interrompendo nada. Temo ter trazido alguns resquícios da tempestade e da chuva para dentro de seus agradáveis aposentos.

– Me dê seu casaco e o guarda-chuva – disse Holmes. – Deixarei ambos no cabide, e estarão secos em breve. O senhor veio do sudoeste, pelo que vejo.

– Sim, de Horsham.

– Essa mistura de argila e calcita que vejo na ponta de seus sapatos é bastante característica.

– Eu venho pedir seu conselho.

– Isso é facilmente obtido.

– E ajuda.

– Isso nem sempre é tão fácil.

– Ouvi falar de si, senhor Holmes. O major Prendergast contou como o senhor o salvou no caso do escândalo do clube Tankerville.

– Ah, claro. Ele foi falsamente acusado de trapacear no jogo de cartas.

– Ele disse que o senhor pode resolver qualquer mistério.

– Ele exagerou.

– E que o senhor é insuperável.

– Fui superado quatro vezes. Três vezes por homens e uma por uma mulher.

– Mas o que é isso comparado com os seus sucessos?

– É verdade que, em geral, tive sucesso.

– Então o senhor também terá comigo.

– Peço que o senhor aproxime sua cadeira do fogo e dê-me alguns detalhes do seu caso.

– Não é um caso comum.

– Nenhum dos que me vêm é. Eu sou o último tribunal de apelações.

– E ainda assim eu me pergunto, se, em toda a sua experiência, o senhor já ouviu falar de uma cadeia de eventos mais misteriosa e inexplicável que essa que ocorreu com a minha família.

– O senhor me enche de interesse – disse Holmes. – Peço que nos conte os fatos essenciais desde o começo, e depois poderei perguntar-lhe sobre os detalhes que me parecerem mais importantes.

O jovem homem puxou a sua cadeira e acomodou os pés molhados perto do fogo.

– Meu nome – disse ele – é John Openshaw, mas meus dados pessoais, até onde eu entendo, têm pouco a ver com essa história terrível. É um caso hereditário, e então, para que eu possa lhe dar uma idéia dos fatos, terei que voltar ao início de tudo.

"O senhor precisa saber que meu avô teve dois filhos: meu tio, Elias, e meu pai, Joseph. Meu pai tinha uma pequena fábrica em Coventry, que ampliou na época da invenção da bicicleta. Ele detinha a patente do pneu inquebrável Openshaw, e seu negócio teve tal sucesso que ele pôde vendê-lo e aposentar-se com conforto.

"Meu tio Elias emigrou para a América quando era jovem e tornou-se fazendeiro na Flórida, de onde se tinha notícias de que havia sido bem-sucedido. Na época da guerra, ele lutou no exército de Jackson, depois sob o comando de Hood e chegou a coronel. Quando Lee depôs as armas, meu tio voltou para sua plantação, onde permaneceu por três ou quatro anos. Em 1869 ou 1870, ele voltou para a Europa e comprou uma pequena propriedade em Sussex, perto de Horsham. Ele havia amealhado uma fortuna considerável nos Estados Unidos, e o motivo para sair de lá foi sua aversão aos negros e o seu descontentamento com a política da República de lhes dar cidadania. Ele era um homem singular, violento e de temperamento quente, desbocado quando ficava bravo, e de comportamento retraído. Duvido até mesmo que algum dia tenha pisado na cidade, durante todos os anos em que viveu em Horsham. Ele tinha um jardim e dois ou três campos ao redor da casa, e lá ele fazia exercícios, apesar de, muitas vezes, ficar semanas sem sair do quarto. Ele bebia muito *brandy* e fumava demais e não queria saber de contato social, não desejava ter amigos, nem mesmo seu próprio irmão.

"Não tinha nada contra mim, e de fato até nos afeiçoamos, já que, na primeira vez que me viu, eu tinha doze anos ou algo assim. Isso deve ter sido no ano de 1878, quando já estava há oito ou nove anos na

Inglaterra. Ele implorou a meu pai que me deixasse viver com ele, e era muito carinhoso comigo à sua maneira. Quando estava sóbrio, gostava de jogar gamão e damas comigo, e me fez seu procurador para tratar com os criados e dos negócios, de modo que, quando eu tinha dezesseis anos, era quase o senhor da casa. Eu tinha todas as chaves e podia ir onde desejava, desde que não o perturbasse na sua privacidade. Havia uma única exceção, no entanto. Ele tinha um único quarto, um depósito no sótão, que ficava invariavelmente trancado e onde ele nunca permitia que eu ou outra pessoa entrasse. Com a curiosidade de um garoto, eu havia espiado pelo buraco da fechadura, mas nunca consegui ver nada além dos velhos baús e pacotes que se espera encontrar num quarto desse tipo.

"Um dia – foi em março de 1883 –, uma carta com selo do estrangeiro foi posta na mesa diante do prato do coronel. Receber cartas não era uma coisa comum para ele, já que suas contas eram pagas em dinheiro vivo e não tinha nenhum amigo. – Da Índia – disse, enquanto pegava a carta. – Carimbo de Pondicherry! O que pode ser? – Ele abriu-a apressadamente e, do envelope, caíram cinco pequenas sementes de laranja, que tilintaram no seu prato. Comecei a rir, mas a risada congelou nos meus lábios quando vi seu rosto. Seu lábio havia caído, seus olhos estavam protuberantes, a pele tinha a cor do cimento, e ele olhava o envelope que ainda tinha nas mãos trêmulas.

"– K. K. K. – ele gritou, e então: – Meu Deus, meus pecados me alcançaram.

"– O que é isto, tio? – perguntei.

"– Morte – disse ele e, levantando-se da mesa, retirou-se para o seu quarto, deixando-me palpitante de horror. Peguei o envelope e vi rabiscado em tinta vermelha dentro da aba, justo acima da cola, a letra K repetida três vezes. Não havia nada além das cinco sementes secas. Qual poderia ser a razão daquele terror tão grande? Deixei a mesa do café-da-manhã e, enquanto subia as escadas, encontrei-o descendo com uma velha chave enferrujada, que devia estar no porão, em uma mão e uma pequena caixa de latão, como uma caixa de dinheiro, na outra.

"– Eles podem fazer o que quiserem, mas ainda assim os derrotarei – disse ele, praguejando. – Diga a Mary que eu quero fogo no meu quarto hoje e mande buscar Fordham, o advogado de Horsham.

"Fiz como ele ordenou, e quando o advogado chegou me pediram que subisse ao quarto. O fogo ardia, e na lareira havia uma massa de cinza preta e macia, como papel queimado, e a caixa de latão estava ao lado, aberta e vazia. Quando olhei para a caixa, vi, com um sobressalto, que sobre a tampa estava gravado o K triplo que eu havia lido no envelope de manhã.

"– Quero que seja testemunha do meu testamento, John – disse meu tio. – Deixo minha propriedade, com todas as suas vantagens e desvantagens, para meu irmão, seu pai, e ela vai, sem dúvida, chegar às suas mãos. Se você puder aproveitá-la em paz, melhor! Se achar que não, aceite meu conselho, meu garoto, e doe-a para seu inimigo mais mortal. Lamento deixar-lhe uma coisa assim, como uma arma de dois gumes, mas não tenho como dizer que rumo as coisas vão tomar. Por favor, assine o papel no local onde o senhor Fordham lhe indica.

"Assinei o papel como me ordenou, e o advogado levou-o com ele. O estranho incidente, como o senhor pode imaginar, impressionou-me profundamente, e eu pensei muito a respeito dele sem conseguir compreendê-lo. Não conseguia livrar-me da vaga sensação de medo, apesar de ela ter se tornado menos aguda à medida que as semanas passavam e nada acontecia para perturbar a rotina das nossas vidas. No entanto, eu podia ver mudanças no meu tio. Ele bebia mais do que nunca e estava ainda menos inclinado ao convívio social. Passava a maior parte do tempo no quarto, com a porta trancada por dentro, mas algumas vezes surgia num tipo de loucura provocada pelo álcool, saía da casa e andava pelo jardim com um revólver na mão, gritando que não tinha medo de ninguém e que não seria encurralado como uma ovelha num cercado por nenhum homem ou demônio. Quando essas explosões terminavam, no entanto, ele corria furiosamente para dentro e trancava a porta, como se já não pudesse mais enfrentar o terror que jazia nas profundezas de sua alma. Algumas vezes vi seu rosto, mesmo num dia frio, brilhar de suor como se ele o tivesse mergulhado numa bacia com água.

"Bem, para terminar, senhor Holmes, e para não abusar mais de sua paciência, houve uma noite na qual ele saiu em uma de suas explosões alcoólicas e nunca mais voltou. Quando fomos procurá-lo, o encontramos com o rosto para baixo dentro de um pequeno lago cheio de musgo que ficava no fundo do jardim. Não havia sinal de violência, e a água não tinha mais do que sessenta centímetros de profundidade, e por isso o júri, sabendo das suas excentricidades, chegou à conclusão de que fora suicídio. Mas eu, que sabia o quanto ele temia o simples pensamento da morte, tinha dificuldade em crer que ele a havia encontrado sozinho. Tudo passou, no entanto, e meu pai tomou posse da propriedade e de cerca de quatorze mil libras, que foram depositadas no banco em seu nome."

– Um momento – interrompeu Holmes. – O seu relato é, pelo que antevejo, um dos mais impressionantes que jamais ouvi. Deixe-me anotar a data em que seu tio recebeu a carta e a data de seu suposto suicídio.

– A carta chegou no dia 10 de março de 1883. Sua morte ocorreu sete semanas depois, na noite do dia 2 de maio.

– Obrigado. Por favor, prossiga.

– Quando meu pai tomou posse da propriedade em Horsham, a meu pedido, examinou cuidadosamente o sótão, que sempre estivera trancado. Encontramos a caixa de latão lá, embora seu conteúdo houvesse sido destruído. No lado de dentro da tampa havia uma etiqueta de papel com as iniciais K.K.K repetidas, e a frase "Cartas, memorandos, recibos e um registro" escrita abaixo. Essas palavras, presumo, indicavam a natureza dos papéis que haviam sido destruídos pelo coronel Openshaw. Além disso, não havia nada de muita importância no sótão além de um monte de papéis esparsos e cadernos com anotação sobre a vida do meu tio na América. Alguns eram sobre os tempos da guerra e mostravam que ele havia cumprido bem o seu dever e tinha a reputação de um bravo soldado. Outros eram da época da reconstrução dos estados do Sul e versavam predominantemente sobre política, evidenciando que ele tivera um forte papel de oposição contra aos políticos que vinham do Norte.

"Bem, meu pai foi viver em Horsham no começo de 1884, e tudo foi bem até janeiro de 1885. No quarto dia depois do Ano-Novo, ouvi meu pai dar um grito de surpresa quando estávamos na mesa do café-da-manhã. Lá estava ele, sentado com um envelope recém-aberto numa mão e cinco sementes de laranja secas na palma aberta da outra mão. Ele sempre havia rido do que chamava de a absurda história sobre o coronel, mas pareceu muito confuso e assustado agora, quando a mesma coisa lhe aconteceu.

"– O que significa isso, John? – gaguejou ele.

"Meu coração pesou como chumbo. – É K.K.K? – perguntei eu.

"Ele olhou dentro do envelope. – Sim, é – gemeu. – Aqui estão as letras. Mas o que está escrito acima delas?

"– Coloque os papéis no relógio de sol – eu li, por cima do seu ombro.

"– Que papéis? Que relógio de sol? – ele perguntou.

"– O relógio de sol no jardim. Não há outro – eu disse. – Mas os papéis devem ser aqueles que foram destruídos.

"– Basta! – disse ele, respirando fundo, com coragem. – Estamos em uma terra civilizada, e não podemos tolerar idiotices como esta. De onde vem a carta?

"– De Dundee – respondi, olhando o carimbo.

"– É alguma brincadeira ridícula – disse ele. – O que eu tenho a ver com relógios de sol e papéis? Não vou levar em conta essa coisa sem sentido.

"– Eu certamente falaria com a polícia – disse eu.

"– Eu seria ridicularizado. Nada disso.

"– Então me deixe fazê-lo.

"– Não, eu o proíbo. Não permitirei tal barulho por uma bobagem.

"Foi inútil argumentar com ele, já que era um homem muito obstinado. Saí, no entanto, com o coração cheio de maus pressentimentos.

"No terceiro dia após a chegada da carta, meu pai saiu de casa para visitar um velho amigo, o major Freebody, que comanda um dos fortes no monte Portsdown. Fiquei feliz com a saída dele, porque me pareceu que ele ficaria mais longe do perigo ao estar fora de casa. Nisso, no entanto, eu estava errado. No segundo dia de sua ausência, recebi um telegrama do major, implorando que eu acorresse imediatamente. Meu pai caíra dentro de uma das minas de calcita que abundam na região e estava sem sentidos, com o crânio partido. Saí correndo ao seu encontro, mas ele faleceu sem recobrar a consciência. Pelo que parece, ele voltava de Fareham ao anoitecer e, como o terreno lhe era desconhecido e a mina não era cercada, o júri não hesitou em chegar a um veredicto de 'morte por causa acidental'. Examinei cuidadosamente todos os fatos conectados com a sua morte e não pude achar nada que pudesse sugerir a idéia de assassinato. Não havia sinais de violência, pegadas, roubo ou relato de estranhos vistos nas estradas. E ainda assim eu não poderia lhe dizer que minha mente estava tranqüila, e estava quase certo de que algum plano diabólico havia sido urdido em torno dele.

"Dessa sinistra maneira eu tomei posse de minha herança. O senhor me perguntará por que não me desfiz dela. Porque eu estava convencido de que nossos problemas estavam de alguma maneira conectados com algum incidente da vida de meu tio e que o perigo estaria presente tanto numa casa como na outra.

"Foi em janeiro de 1885 que meu pobre pai morreu, e já se passaram dois anos e oito meses desde então. Durante esse tempo vivi feliz em Horsham, e havia começado a imaginar que essa maldição da família havia passado com a geração anterior. No entanto, consolei-me cedo demais. Na manhã de ontem, a desgraça apareceu na mesma forma que caiu sobre meu pai."

O jovem tirou do colete um envelope rasgado e, sacudindo-o sobre a mesa, deixou cair cinco sementes de laranja secas.

– Este é o envelope – ele continuou. – O carimbo é de Londres, agência Leste. Aqui estão as mesmas palavras que estavam na mensagem para meu pai. "K.K.K." e então "Coloque os papéis no relógio de sol".

– O que fez? – perguntou Holmes.

– Nada.

– Nada?

– Para dizer a verdade – ele enterrou o rosto nas mãos magras e brancas –, me senti impotente. Sinto-me como um pobre coelho quando vê a cobra se contorcendo em sua direção. É como se estivesse em poder de um mal inexorável e ao qual não se pode resistir, contra o qual nenhuma perspicácia ou precaução pode proteger.

– Chega! Chega! – gemeu Sherlock Holmes. – Você tem que agir, homem, ou estará perdido. Só a energia pode salvá-lo. Não é momento para desespero.

– Fui à polícia.

– E?

– Eles ouviram minha história com sorrisos. Estou convencido de que o inspetor acha que as cartas são um trote e que as mortes de meus parentes foram mesmo acidentais, como concluiu o júri, e que não têm conecção com os avisos.

Holmes sacudiu mãos cerradas no ar.

– Incrível imbecilidade! – gritou.

– Eles me designaram um policial, no entanto, que deve permanecer na casa comigo.

– Ele veio com o senhor esta noite?

– Não. Suas ordens são para permanecer na casa.

Holmes outra vez agitou as mãos no ar.

– Por que veio a mim? – disse ele. – E, mais do que tudo, por que não veio logo?

– Não sei. Foi só hoje que eu falei com o major Prendergast sobre meu problema e recebi o conselho de procurá-lo.

– O senhor tem a carta há dois dias. Deveríamos ter agido antes disso. O senhor não tem mais nenhuma prova, imagino, além dessa que nos mostrou. Nenhum detalhe que possa nos ajudar.

– Há uma coisa – disse John Openshaw. Ele procurou no bolso do casaco e tirou um pedaço de papel azul desbotado, que colocou em cima da mesa. – Tenho uma vaga lembrança – disse – de que no dia em que meu tio queimou os papéis eu observei que as pequenas margens não queimadas que estavam entre as cinzas eram desta cor particular. Encontrei esta única folha no chão de seu quarto, e estou inclinado a pensar que deve ser um dos papéis que estavam espalhados junto com os outros e escapou da destruição. Alem da menção às sementes, não vejo nada mais que possa ser de ajuda. Acho que é a página de um diário pessoal. A letra é, sem dúvida, a de meu tio.

Holmes moveu a lâmpada e nós dois nos voltamos para o pedaço de papel, cuja margem mostrava que ela havia sido arrancada de um livro. Estava datada de março de 1869 e havia as seguintes notas enigmáticas:

"Dia 4. Hudson veio. A mesma velha plataforma.

Dia 7. Providenciei as sementes para McCauley, Paramore e Swain, de St. Augustine.

Dia 9. McCauley limpo.

Dia 10. John Swain limpo.

Dia 12. Visitei Paramore. Tudo está bem".

– Obrigado! – disse Holmes, dobrando o papel e devolvendo-o ao visitante. – E agora o senhor não deve perder nem mais um instante. Não podemos perder tempo nem mesmo para debater o que me disse. Vá para casa imediatamente e comece a agir.

– O que devo fazer?

– Há somente uma coisa a fazer. E imediatamente. Coloque esse pedaço de papel que me mostrou dentro da caixa de latão que descreveu. Também deve colocar dentro uma nota dizendo que todos os outros papéis foram queimados por seu tio e que este é o único que resta. Deve usar as palavras de maneira a conferir convicção ao conteúdo. Depois de fazer isso, coloque a caixa imediatamente sobre o relógio de sol, como indicado. Entende?

– Inteiramente.

– Não pense em revanche, ou algo parecido, no momento. Creio que poderemos obter isso através da lei, mas temos que tecer a teia, enquanto a deles já está tecida. A primeira providência é eliminar o grande perigo que o ameaça. A segunda, é esclarecer o mistério e punir os culpados.

– Agradeço – disse o jovem homem, levantando-se e pegando o sobretudo. – O senhor renovou-me a vida e a esperança. Certamente farei como recomenda.

– Não perca nem um instante. E, sobretudo, cuide-se enquanto isso, já que não existe nenhuma dúvida de que está ameaçado por um perigo real e iminente. Como voltará?

– De trem, partindo de Waterloo.

– Ainda não são nove horas. As ruas estarão cheias de gente, então creio que estará a salvo. Mas, ainda assim, por mais que tome cuidado, nunca será o bastante.

– Estou armado.

– Muito bem. Amanhã trabalharei no seu caso.

– Deverei vê-lo em Horsham, então?

– Não, seu segredo está em Londres. É aqui que devo persegui-lo.

– Então eu devo me comunicar com o senhor dentro de um dia ou dois, com notícias sobre a caixa e os papéis. Seguirei o seu conselho em todos os detalhes.

Ele apertou as nossas mãos e saiu. O vento ainda uivava lá fora, e a chuva tamborilava nas janelas. Essa estranha e selvagem história parecia ter surgido da loucura da natureza, trazida até nós como uma alga marinha num vendaval, e agora ter sido absorvida por ela uma vez mais.

Sherlock Holmes sentou em silêncio por algum tempo com a cabeça baixa e os olhos franzidos diante do brilho vermelho do fogo. Então acendeu o cachimbo e, recostando-se na cadeira, observou os círculos de fumaça azul que subiam até o teto.

– Creio, Watson – ele disse, enfim –, que, entre todos os nossos casos, não tivemos nenhum tão fantástico quanto este.

– Salvo, talvez, o Signo dos quatro.

– Bem, sim. Salvo, talvez, esse. E ainda assim esse John Openshaw me parece estar correndo mais perigo que os Sholto.

– Mas – perguntei – você já tem alguma idéia do que é esse perigo?

– Não há nenhuma dúvida sobre a sua origem – ele respondeu.

– E qual é? Quem é esse K.K.K. e por que persegue essa família infeliz?

Sherlock Holmes fechou os olhos e apoiou os cotovelos nos braços da cadeira, com os dedos unidos.

– Um bom dedutor deveria – ele observou –, ao ser apresentado a um único fato em todos os seus aspectos, deduzir a partir dele não só a cadeia de eventos que levaram a ele, mas também os resultados que se seguirão. Assim como Cuvier era capaz de descrever corretamente um animal inteiro apenas contemplando um só osso, também o observador que entendeu inteiramente um elo numa cadeia de incidentes deveria ser capaz de definir acuradamente todos os outros, tanto os anteriores quanto os posteriores. Nós ainda não obtivemos os resultados que só a razão pode alcançar. Poderíamos resolver por meio do estudo problemas cuja solução desnorteou completamente os que a buscaram por meio dos sentidos. Para levar essa arte, no entanto, ao seu máximo, é necessário que o dedutor esteja apto a utilizar todos os fatos que venham a seu conhecimento, e isso, por si só, implica, como você verá logo, a posse de todo o conhecimento, o que, mesmo nesses dias de educação livre e enciclopédias, é algo raro. Não é impossível, no entanto, que um homem possua o conhecimento necessário para o seu trabalho, e é o que tenho tratado de fazer neste caso. Se me lembro bem, você, certa vez, no começo de nossa amizade, definiu meus limites de maneira bem precisa.

– Sim – respondi, rindo. – Foi um documento singular. Filosofia, astronomia e política estavam marcadas no zero, segundo lembro. Em botânica, irregular. Em geologia, profundo no que tange a manchas de lama de regiões que estejam a 80 quilômetros da cidade. Em química, excêntrico. Em anatomia, pouco sistemático. Sensacional em literatura e único em dados sobre o crime. Violinista, boxeador, esgrimista, advogado e auto-envenenado por cocaína e tabaco. Acho que estes eram os principais pontos da minha análise.

Holmes riu do último item.

– Bem – continuou –, digo agora como disse

então, que um homem deve manter o pequeno porão de seu cérebro mobiliado com todos os móveis que pode vir a usar, e o resto ele deve jogar no depósito da biblioteca, onde pode dispor deles se precisar. Mas, para um caso como o que nos foi apresentado esta noite, precisaremos certamente lançar mão de todos os nossos recursos. Por favor, alcance-me a letra K da *Enciclopédia americana* que está na prateleira atrás de você. Obrigado. Vamos agora pensar na situação e ver o que se pode deduzir dela. Primeiro, devemos começar com a forte presunção de que o coronel Openshaw teve alguma forte razão para deixar a América. Homens da idade dele não mudam os seus hábitos e, por livre vontade, o charmoso clima da Flórida pela vida solitária de uma cidade provinciana na Inglaterra. Seu extremo amor pela solidão na Inglaterra sugere a idéia de que tinha medo de alguém ou de algo, então devemos assumir como hipótese de trabalho que foi o seu medo de alguém ou de algo que o levou a sair da América. Só podemos deduzir do que tinha medo considerando as estranhas cartas que ele e seus sucessores receberam. Você anotou de onde eram os carimbos delas?

– A primeira era de Pondicherry, a segunda, de Dundee, e a terceira, de Londres.

– Do leste de Londres. O que deduz disso?

– Todos os locais são portos. Quem escreveu estava num navio.

– Excelente. Já temos uma pista. Não há dúvida de que o mais provável, e a probabilidade é forte, é que quem escreveu estivesse a bordo de um navio. E agora consideremos outro ponto. No caso de Pondicherry, sete semanas se passaram entre a ameaça e o seu cumprimento. Em Dundee, foram apenas três ou quatro dias. Isso sugere alguma coisa?

– Uma distância de viagem maior.

– Mas a carta também tinha uma distância maior para percorrer.

– Então eu não entendo esse ponto.

– Há pelo menos a suposição de que a embarcação em que o homem, ou homens, está é um veleiro. Parece que eles sempre enviam o seu singular aviso ou sinal antes de começar a viagem. Veja como a morte seguiu-se rapidamente ao sinal quando ele veio de Dundee. Se tivessem vindo de Pondicherry num navio a vapor, teriam chegado quase junto com a sua carta. Mas passaram-se sete semanas. Creio que essas sete semanas correspondem à diferença entre o navio dos correios, que trouxe a carta, e o veleiro, que trouxe o remetente.

– É possível.

– Mais do que isso. É provável. Veja então a extrema urgência desse novo caso, e por que eu insisti com o jovem Openshaw que tivesse cuidado. O ataque sempre ocorreu no fim do tempo que os remetentes levariam para fazer o percurso. Mas esta vem de Londres, e por isso não podemos contar com atrasos.

– Bom Deus! – gemi. – O que pode significar essa perseguição incansável?

– Os papéis que Openshaw carregava eram obviamente de vital importância para a pessoa ou pessoas do veleiro. Creio que está bastante claro que há mais do que um. Um só homem não conseguiria ter executado duas mortes de maneira a enganar o júri de investigação. Eles devem ser muitos, e devem ser inteligentes e determinados. Eles têm que obter os papéis, não importa quem os tenha. Desse modo, você faz com que K.K.K deixe de ser as iniciais de um indivíduo e passe a ser o emblema de uma sociedade.

– Mas de qual sociedade?

– Você nunca – disse Sherlock Holmes, inclinando-se para a frente e baixando a voz – ouviu falar da Ku Klux Klan?

– Nunca.

Holmes virou as páginas do livro que estavam sobre o seu joelho.

– Aqui está – disse ele. – "Ku Klux Klan. Nome derivado da semelhança imaginária com o som produzido pelo engatilhar de um rifle. Esta terrível sociedade secreta foi formada por alguns ex-soldados confederados nos estados do Sul depois da Guerra Civil, e rapidamente formou braços locais em diferentes partes do país, especialmente no Tennessee, Louisiana, nas Carolinas, Geórgia e Flórida. Seu poder foi usado para fins políticos, principalmente para aterrorizar os votantes negros e para matar ou expulsar do país os que se opunham a seus pontos de vista. Seus ataques eram normalmente precedidos por um aviso enviado ao homem marcado que tinha uma forma algo fantástica, mas geralmente reconhecível. Em algumas regiões, eram folhas de carvalho e sementes de melão ou de laranja em outras. Ao receber isso, a vítima deveria escolher entre renunciar publicamente a suas idéias ou deixar o país. Se desafiasse a ameaça, a morte sobrevinha infalivelmente, e geralmente de maneira estranha ou inesperada. A organização da sociedade era tão perfeita e os seus métodos eram tão sistematizados que há raros casos em que um homem teve sucesso ao desafiá-la, ou em que algum de seus crimes tenha levado a seus autores. A organização foi forte por alguns anos, apesar dos esforços contrários do governo dos Estados Unidos e das classes dominantes da comunidade do Sul. Finalmente, no ano de 1869, o movimento ruiu de maneira súbita, embora tenham ocorrido algumas manifestações do mesmo tipo desde aquela data."

"Observe – disse Holmes, baixando o livro – que o desaparecimento repentino da sociedade coincide com o desaparecimento de Openshaw da América, com seus papéis. Pode muito bem ter sido causa e efeito. Não é de se impressionar que ele e sua família estejam sendo perseguidos por espíritos tão implacáveis. Entenda que esses registros e esse diário podem comprometer alguns dos homens mais importantes do Sul, e que deve haver muitos que não dormirão tranqüilos até que sejam recuperados.

– Então a página que vimos...

– É o que imaginamos. Dizia, se lembro bem, "Enviadas sementes para A, B e C". Isso quer dizer que o aviso da sociedade foi enviado a eles. E então há os registros sucessivos de que A e B estão limpos, ou deixaram o país, e finalmente que C foi visitado e, temo, com um fim sinistro para C. Bem, doutor, penso que devemos deixar entrar alguma luz nesse caso escuro e creio que a única chance que o jovem Openshaw tem nesse meio tempo é fazer o que eu lhe disse. Não há nada mais para ser dito ou feito hoje, então deixe-me pegar meu violino e tentemos esquecer por meia hora o tempo miserável e os ainda mais miseráveis caminhos trilhados pelos homens.

Pela manhã, o tempo estava limpo, e o sol brilhava amortecido através do véu turvo que flutuava sobre a grande cidade. Sherlock Holmes já estava tomando o seu café-da-manhã quando desci.

– Perdoe-me por não esperar por você – disse ele. – Prevejo que terei um dia muito ocupado tratando desse caso do jovem Openshaw.

– Quais serão os seus passos? – perguntei.

– Isso dependerá bastante dos resultados de minhas

primeiras investigações. Talvez tenha mesmo que ir a Horsham.

– Não irá lá primeiro?

– Não, devo começar pela City. Toque a campainha e a criada trará seu café.

Enquanto esperava, levantei da mesa o jornal que ainda não havia sido aberto e dei uma olhada. Meu olhar pousou sobre uma manchete que me deu um calafrio.

– Holmes – gemi –, você está atrasado.

– Ah, era o que eu temia – disse ele, pousando a xícara na mesa. – Como foi?

Ele falou calmamente, mas percebi que estava profundamente emocionado.

– Meus olhos captaram o nome Openshaw, e a manchete “Tragédia perto da ponte Waterloo”. Aqui está o relato: “Entre as nove e as dez da noite passada, o policial Cook, da divisão H, de serviço perto da ponte Waterloo, ouviu um grito pedindo socorro e um barulho de algo mergulhando na água. A noite, no entanto, estava extremamente escura, de modo que, apesar da ajuda de várias pessoas que passavam, foi impossível efetuar um resgate. O alarme, no entanto, foi dado, e, com a ajuda da polícia costeira, o corpo foi recuperado. Era de um jovem cavalheiro cujo nome, a julgar por um envelope encontrado no seu bolso, era John Openshaw e que vive perto de Horsham. Presume-se que ele corria para pegar o último trem que saía da estação Waterloo e que, devido à pressa e à extrema escuridão, errara o caminho e caíra de uma das plataformas em que atracam os barcos a vapor. O corpo não tinha traços de violência, e não há dúvidas de que o falecido foi vítima de um desafortunado acidente que deveria chamar a atenção das autoridades para a condição das plataformas de desembarque do rio”.

Sentamos em silêncio por alguns minutos, Holmes mais deprimido e chocado do que eu jamais havia visto.

– Isso fere meu orgulho, Watson – disse ele, enfim. – É um sentimento mesquinho, não há dúvidas, mas isso fere meu orgulho. Agora é um assunto pessoal, e, se Deus me der saúde, conseguirei pôr minhas mãos nessa gangue. Ele veio a mim pedir ajuda, e eu o enviei para a morte...!

Ele saltou da cadeira e andou pela sala numa agitação incontrolável, com rubor nas pálidas faces e entrelaçando e desentrelaçando as longas e magras mãos nervosamente.

– Eles devem ser demônios perspicazes – ele exclamou, afinal. – Como poderiam atraí-lo para lá? O aterro não fica no caminho até a estação. A ponte, não há dúvida, mesmo numa noite como aquela, estava muito cheia de gente para o propósito deles. Bem, Watson, veremos quem vencerá a longo prazo. Vou sair agora!

– Vai à polícia?

– Não, serei a minha própria polícia. Quando tiver armado a teia, poderão tirar as moscas, mas não antes disso.

Fiquei ocupado com meu trabalho profissional durante todo o dia, e era tarde da noite quando retornei para Baker Street. Sherlock Holmes ainda não havia voltado. Eram quase dez horas quando entrou, pálido e cansado. Ele caminhou até o bufê e, tirando um pedaço do pão, devorou-o vorazmente com um longo gole de água.

– Você está com fome – observei.

– Morrendo de fome. Esqueci de comer. Não comi nada além do café-da-manhã.

– Nada?

– Nem uma mordida. Não tive tempo para pensar nisso.

– E como foi?

– Bem.

– Tem uma pista?

– Eu os tenho na palma da mão. O jovem Openshaw não ficará sem vingança por muito tempo. Isso porque, Watson, colocaremos sobre eles a sua própria marca diabólica. É muito bem pensado.

– O que quer dizer?

Ele pegou uma laranja do armário e, cortando-a em pedaços, espremeu as sementes em cima da mesa. Delas, escolheu cinco, e jogou-as dentro de um envelope. No interior da aba, escreveu "S.H. para J.C.". Então, selou e endereçou para "Capitão James Calhoun, barco *Lone Star*, Savannah, Geórgia".

– Isto estará esperando por ele quando entrar no porto – disse, rindo. – Gerará uma noite de insônia. Ele vai achar que é, certamente, um aviso do seu destino, como ocorreu com Openshaw.

– E quem é o capitão Calhoun?

– O líder da gangue. Pegarei os outros, mas ele vem primeiro.

– Como o encontrou?

Ele pegou uma grande folha de papel do seu bolso, cheia de datas e nomes.

– Gastei todo o dia – disse ele – olhando os registros da Lloyd's[13] e os arquivos de papéis antigos, traçando a rota de todas as embarcações que ancoraram em Pondicherry em janeiro e fevereiro de 1883. Trinta e seis barcos de tamanho razoável estiveram lá nesses

13. A primeira e maior sociedade de registro de embarcações no mundo, fundada em Londres, em 1760. (N. do T.)

meses. Entre eles, o *Lone Star* instantaneamente atraiu a minha atenção, já que, embora o registro diga que partiu de Londres, o seu nome é o mesmo dado a um dos estados norte-americanos.

– O Texas, creio.

– Não tinha e não tenho certeza de qual deles. Mas eu sabia que o barco tinha uma origem norte-americana.

– E depois?

– Procurei nos registros de Dundee e quando soube que o barco *Lone Star* esteve lá em janeiro de 1885, minha suspeita virou certeza. Investiguei então, as embarcações que estão agora no porto de Londres.

– Sim?

– O *Lone Star* chegou aqui na semana passada. Fui à doca Albert e soube que o barco partiu rio abaixo nesta manhã, indo em direção à sua terra, Savannah. Enviei um telegrama para Gravesend e soube que ele havia passado há algum tempo, e, como o vento soprava do leste, não tenho dúvidas de que a esta hora já passou Goodwins e não está muito longe da ilha de Wight.

– O que fará, então?

– Ah, estou com as mãos nele. Ele e os dois amigos são, pelo que soube, os únicos norte-americanos no barco. Os outros são finlandeses e alemães. Eu também sei que os três estiveram fora ontem à noite. Soube isso pelo estivador que carregou o barco. Quando o veleiro chegar a Savannah, o navio do correio já terá entregado a carta, e o telégrafo terá avisado à polícia de Savannah que esses três cavalheiros são procurados aqui por assassinato.

Há sempre uma falha, no entanto, até no mais bem urdido dos planos humanos, e os assassinos de John Openshaw nunca receberam as sementes de laranja que mostrariam a eles que outro, tão perspicaz e determinado quanto eles, estava ao seu encalço. As tempestades equinociais foram muito longas e severas naquele ano. Esperamos longamente por notícias do *Lone Star*, de Savannah, mas nenhuma chegou a nós. No fim, ouvimos dizer que em algum lugar no Atlântico o madeirame destroçado da popa de um barco fora visto boiando entre as ondas, com as letras "*L.S.*" gravadas. E isso foi tudo o que ficamos sabendo sobre o destino do *Lone Star*.

O HOMEM DO LÁBIO TORCIDO

Isa Whitney, irmão do falecido Elias Whitney, doutor em religião e reitor do Colégio Teológico de St. George, era viciado em ópio. O hábito floresceu, pelo que sei, por uma excentricidade cometida quando estava na faculdade. Ao ler a descrição de De Quincey sobre seus sonhos e sensações, ele banhou o seu tabaco em láudano na tentativa de produzir os mesmos efeitos. E descobriu, como ocorreu com muitos outros, que a prática é mais fácil de adquirir do que de deixar e por muitos anos ele foi escravo da droga e objeto de uma mistura de horror e pena por parte de seus amigos e parentes. Posso vê-lo hoje, com o rosto pálido e amarelo, pálpebras caídas e pupilas pequeninas, afundado numa cadeira, a decadência e ruína de um nobre homem.

Certa noite – foi em junho de 1889 –, alguém tocou em minha campainha, mais ou menos na hora em que um homem dá seu primeiro bocejo e olha o relógio. Sentei em minha cadeira, minha mulher largou o seu bordado no colo e fez uma cara de desapontamento.

– Um paciente! – disse ela. – Você terá que sair.

Eu suspirei, porque mal havia retornado depois de um dia exaustivo.

Ouvimos a porta se abrir, algumas palavras preocupadas e, então, passos rápidos no linóleo. A porta foi aberta, e entrou uma dama coberta com vestes escuras e um véu negro.

– Perdoe-me por vir tão tarde – ela começou e, perdendo subitamente o controle, adiantou-se, enroscou os braços no pescoço de minha mulher e começou a soluçar em seu ombro. – Oh, estou com um grande problema! – ela chorou. – Preciso muito de ajuda.

– É Kate Whitney – disse minha mulher, levantando o véu. – Você me enganou, Kate! Eu não tinha idéia de quem fosse quando entrou.

– Eu não sabia o que fazer, então vim aqui.

Era sempre assim. Os amigos em sofrimento vinham até a minha mulher como pássaros atraídos pela luz de um farol.

– Foi muito gentil em ter vindo. Agora, tome um pouco de vinho e água, sente aqui confortavelmente e conte-nos o problema. Ou você prefere que eu mande James para a cama?

– Oh, não, não. Eu quero o conselho do doutor, e também a sua ajuda. É sobre Isa. Ele não aparece em casa há dois dias. Tenho tanto medo por ele!

Não era a primeira vez que ela nos contava os problemas do marido, para mim, como médico, e para minha mulher, como velha amiga e companheira de escola. Nós a acalmamos e confortamos da melhor maneira possível. Ela sabia onde estava o marido? Seria possível fazê-lo voltar?

Parecia que sim. Ela tinha informações seguras de que, ultimamente, quando o ímpeto aparecia, ele freqüentava um bar de ópio localizado no leste da City. Até então, suas orgias se resumiam a um dia, e ele voltava à noite, tremendo e demolido. Mas dessa vez o feitiço permanecia há 48 horas, e ele sem dúvida jazia lá, no meio da sujeira das docas, aspirando o veneno ou dormindo por causa dos efeitos. Ele seria encontrado lá, ela tinha certeza, no Bar de Ouro, na Upper Swandam Lane. Mas o que ela podia fazer? Como ela, uma jovem e tímida mulher, poderia ir a tal lugar e arrancar seu marido da companhia dos selvagens que o cercavam?

Essa era a dificuldade, e é claro que havia só uma maneira de resolvê-la. Eu não poderia acompanhá-la? Ou, pensando bem, por que ela deveria ir? Eu era o médico de Isa Whitney, e como tal eu tinha influência sobre ele. Poderia lidar melhor com o tema se fosse sozinho. Prometi a ela, dando minha palavra, que, se ele estivesse no endereço que ela me deu, eu o mandaria para casa em uma carruagem de aluguel dentro de duas horas. E, em dez minutos, eu havia deixado minha poltrona e a alegre sala para trás e me dirigia a leste em um cabriolé no que me pareceu então uma estranha missão, apesar de que só o futuro se encarregaria de mostrar o quão estranha seria.

Mas não houve nenhuma dificuldade no primeiro estágio da minha aventura. A Upper Swandam Lane é uma rua nauseabunda escondida atrás dos altos atracadouros que se alinham no lado norte do rio, a leste da Ponte de Londres. Entre uma loja de roupas baratas e uma loja de gim, descendo um lance vertiginoso de escadas que levavam a um buraco escuro como a boca de uma caverna, encontrei o bar de ópio que procurava. Pedi ao cocheiro que esperasse, desci os degraus, gastos no centro pelos incessantes passos de pés embriagados, e sob a luz de uma tremeluzente lâmpada de óleo sobre a porta encontrei o trinco e entrei num ambiente baixo, longo e pesado por causa da fumaça marrom do ópio, forrado com catres de madeira, como o porão de um navio de emigrantes.

Nas sombras, era possível entrever corpos deitados em poses fantásticas e estranhas, ombros arqueados, joelhos curvados, cabeças jogadas para trás e queixos apontando para cima, e, lá e cá, olhos escuros e sem brilho virados para o recém-chegado. Nas trevas, brilhavam pequenos círculos vermelhos de luz, ora reluzentes, ora enfraquecidos, à medida que o veneno ardente se inflamava ou arrefecia nos pratos dos cachimbos de metal. A maioria jazia silenciosa, mas alguns falavam para si mesmos, e outros ao mesmo tempo falavam numa voz estranha, baixa e monótona, a conversa surgindo em rompantes seguidos de silêncio, cada um murmurando seus próprios pensamentos e prestando pouca atenção às palavras do vizinho. No fundo, havia um pequeno braseiro de carvão, ao lado do qual estava sentado num banco de madeira de três pernas um velho homem alto e magro, com o queijo repousado sobre os dois punhos e os cotovelos sobre os joelhos, olhando fixamente o fogo.

Quando entrei, um amarelado atendente malaio correu até mim com um cachimbo e uma dose de droga, indicando-me um catre vazio.

– Obrigado, não vim para ficar – disse. – Um amigo meu, o senhor Isa Whitney, está aqui, e eu gostaria de falar com ele.

Houve um movimento e uma exclamação à minha direita, e, entre a fumaça, vi Whitney, pálido, desfigurado e despenteado, olhando para mim.

– Meu Deus! É Watson – disse. Ele estava num estado lastimável, com os nervos à flor da pele. – Watson, que horas são?

– Quase onze.

– De que dia?

– Da sexta-feira, dia 19 de junho.

– Meu Deus! Pensei que era quarta-feira. *É* quarta-feira. Por que você quer assustar um amigo?

Ele afundou a cabeça nos braços e começou a soluçar muito alto.

– Eu garanto que é sexta-feira, homem. Sua mulher o espera há dois dias. Você deveria estar envergonhado.

– Eu estou. Mas você se confundiu, Watson, porque eu estou aqui só há algumas horas, três ou quatro cachimbos. Esqueci quantos. Mas irei para casa com você. Eu não assustaria Kate, a pobre e pequena Kate. Dê-me sua mão. Você tem uma carruagem de aluguel?

– Sim, tenho uma à espera.

– Então eu entrarei nela. Mas tenho que pagar alguma coisa. Descubra o que tenho que pagar, Watson. Estou num estado indecente. Não posso fazer nada sozinho.

Cruzei a estreita passagem entre a linha dupla de catres, segurando a respiração para evitar a vil e desorientadora fumaça da droga e procurando o encarregado. Quando passei pelo homem alto que estava sentado ao lado do braseiro senti um repentino puxão na minha roupa, e uma voz baixa sussurrou:

– Siga adiante e depois olhe para trás.

As palavras soaram muito claramente em meus ouvidos. Olhei para baixo. Só poderiam ter vindo do velho homem a meu lado, e agora ele estava sentado, absorto como antes, muito magro, muito enrugado, encurvado pela idade, o cachimbo de ópio balançando entre seus joelhos, como se houvesse caído letargicamente de seus dedos. Dei dois passos para frente e olhei para trás. Precisei de todo meu autocontrole para evitar um grito de espanto. Ele havia se virado, de maneira que ninguém mais além de mim pudesse vê-lo. As suas feições se dilataram, as rugas sumiram, os olhos entorpecidos retomaram o brilho, e lá, sentado ao lado do fogo e rindo da minha surpresa, estava ninguém menos que Sherlock Holmes. Ele me fez um leve sinal pedindo que me aproximasse e instantaneamente, enquanto virava metade do rosto para o público outra vez, voltou à senilidade trêmula.

– Holmes! – sussurrei. – O que, por Deus, está fazendo neste antro?

– Fale o mais baixo que puder – ele respondeu. – Tenho excelentes ouvidos. Se tivesse a gentileza de livrar-se desse seu amigo embriagado, eu ficaria extremamente feliz em ter uma conversinha com você.

– Há uma carruagem me esperando lá fora.

– Então trate de mandá-lo para casa nela. Pode confiar nele, porque está fraco demais para se meter em alguma encrenca. Eu também recomendo que mande uma nota a sua mulher pelo cocheiro para dizer que está comigo. Se me esperar lá fora, me juntarei a você em cinco minutos.

Era difícil recusar um pedido de Sherlock Holmes, já que eles eram sempre extremamente determinados e feitos com um ar de mistério. Eu achava, no entanto, que quando Whitney estivesse dentro da carruagem, a minha missão estaria praticamente cumprida. E, no mais, não desejava nada melhor que me associar a meu amigo em uma das suas singulares aventuras que eram o estado normal de sua existência. Em poucos minutos eu já havia escrito a nota, pago a conta de Whitney, enfiado ele na carruagem e visto ela mergulhar na noite. Pouco tempo depois, a silhueta decrépita emergiu do bar de ópio, e eu caminhava pela rua com Sherlock Holmes. Por duas ruas ele arrastou os pés com as costas curvas e um passo incerto. Então, dando uma olhada rápida em volta, endireitou-se e caiu na risada.

– Suponho, Watson – disse –, que você imagina que eu somei o vício de fumar ópio às injeções de cocaína e a todas as pequenas fraquezas sobre as quais você já me brindou com suas opiniões médicas.

– Fiquei certamente surpreso de encontrá-lo lá.

– Mas não mais do que eu ao vê-lo.

– Vim para encontrar um amigo.

– E eu para encontrar um inimigo!

– Um inimigo?

– Sim, um de meus inimigos naturais. Ou, devo dizer, uma de minhas vítimas naturais. Explicando rapidamente, Watson, estou no meio de uma investigação muito fora do comum, e tinha a esperança de achar pistas nos incoerentes devaneios desses beberrões, como já fiz antes. Se eu fosse reconhecido lá, minha vida não duraria mais do que uma hora, pois usei o lugar antes para fazer minhas pesquisas, e o inescrupuloso marinheiro indiano que o dirige já me jurou vingança. Há um alçapão nos fundos daquele edifício, perto da esquina do cais de Paul, que poderia contar algumas estranhas histórias do que já passou por ele nas noites sem lua.

– O quê? Você não está falando de corpos, está?

– Sim, corpos, Watson. Seríamos homens ricos se ganhássemos mil libras por cada pobre-diabo que encontrou a morte naquele lugar. É a armadilha mortal mais perversa de toda a margem do rio, e temo que Neville St. Clair tenha caído nela para nunca mais sair vivo. Mas a nossa carruagem deveria estar aqui!

Ele colocou os indicadores entre os dentes e deu um assobio estridente, um sinal que foi respondido com um assobio similar à distância, seguido rapidamente pelo rangido das rodas e pela batida dos cascos dos cavalos.

– Agora, Watson – disse Holmes, enquanto um cabriolé surgia, lançando na bruma dois túneis de luz amarela gerada pelas lanternas laterais –, você virá comigo, não?

– Se eu for útil.

– Oh, um companheiro de confiança é sempre útil. E um cronista, ainda mais. Meu quarto em Cedars tem duas camas.

– Cedars?

– Sim. É a casa do senhor St. Clair. Estou lá enquanto trabalho na investigação.

– Onde é, então?

– Perto de Lee, em Kent. Temos uma viagem de onze quilômetros pela frente.

– Mas estou no escuro, não sei de nada.

– É claro que está. Saberá de tudo em breve. Entre! Bem, John, não precisaremos de você. Aqui está meia coroa. Procure-me amanhã às onze. Solte os arreios. Até amanhã.

Ele bateu no cavalo com o chicote e nós partimos pela interminável sucessão de sombras e ruas desertas que foram ficando largas, até que atravessamos correndo uma ampla ponte com balaustrada, com o turvo rio correndo preguiçosamente lá embaixo. Do outro lado, havia outra enorme extensão pavimentada de cimento e tijolos, o silêncio cortado apenas pelos passos pesados e regulares dos policiais, ou pelas canções e gritos de alguma festa tardia. Uma cortina esburacada passava lentamente pelo céu, e uma estrela ou duas brilhavam aqui e ali entre as nuvens. Holmes conduzia em silêncio, com a cabeça enterrada no peito e o ar de um homem perdido em seus pensamentos, enquanto eu, sentado ao lado dele, estava curioso para saber no que consistia esse novo caso para desafiar seus poderes de maneira tão severa, mas ainda temeroso de interromper o curso de seus pensamentos. Havíamos andado vários quilômetros e começávamos a cruzar o cinturão de vilas do subúrbio, quando ele se sacudiu, encolheu os ombros e acendeu o cachimbo com o ar de um homem satisfeito por estar fazendo o melhor possível.

– Você tem o maravilhoso dom do silêncio, Watson – disse ele. – Isso o torna bastante valioso como companhia. Dou minha palavra, é excelente para mim ter alguém com quem falar, porque meus pensamentos não são muito prazerosos. Estava pensando no que dizer a essa querida e pequena mulher nesta noite, quando ela me encontrar na porta.

– Você esquece que eu não sei nada sobre o caso.

– Eu terei tempo para contar-lhe todos os fatos sobre o caso antes que cheguemos a Lee. Parece absurdamente simples, e ainda assim, de alguma forma, não consigo encontrar uma pista para seguir. Há muitas meadas, não há dúvida sobre isso, mas não consigo pegar a ponta do fio. Agora, vou expor-lhe o caso clara e concisamente, Watson, e talvez você veja uma fagulha onde tudo está escuro para mim.

– Faça-o, então.

– Há alguns anos – para ser preciso, em maio de 1884 –, veio para Lee um cavalheiro de nome Neville St. Clair, que aparentava ter muito dinheiro. Ele ocupou uma grande vila, tratou os campos muito bem e viveu de maneira geral em bom estilo. Gradualmente, foi fazendo amigos na vizinhança e em 1887 casou-se com a filha de um cervejeiro local, com quem teve dois filhos. Ele não tinha ocupação, mas tinha participação em muitas companhias, e ia para a cidade, como regra, todas as manhãs, voltando todas as noites às 5h14 da estação da Cannon Street. O senhor St. Clair tem agora 37 anos, é um homem de hábitos discretos, um bom marido, um pai muito afetivo e um homem benquisto por todos os que o conhecem. Devo acrescentar que os seus débitos no momento, até onde pudemos averiguar, ascendem a 88 libras e 10 xelins, enquanto o seu crédito é de 220 libras no Capital and Counties Bank. Não há razão, portanto, para pensar que estivesse preocupado com questões financeiras.

"Na última segunda-feira, o senhor Neville St. Clair foi para a cidade mais cedo que o normal, afirmando antes de sair que tinha dois importantes compromissos e que na volta traria para seu filho pequeno um jogo de armar. Por coincidência, sua mulher recebeu um telegrama na mesma segunda-feira, pouco depois da partida de St. Clair, informando que uma pequena parcela de considerável valor que ela esperava aguardava nos escritórios da companhia de navegação Aberdeen. Se você estiver com os seus conhecimentos sobre Londres em dia, saberá que o escritório da companhia é na Fresno Street, que vai até a Upper Swandam Lane, onde você me encontrou esta noite. A senhora St. Clair almoçou e saiu para a City, fez algumas compras, foi ao escritório da companhia, pegou seu pacote e, exatamente às 4h35, atravessava a Swandam Lane no caminho de volta para a estação. Está me acompanhando?"

– Muito claramente.

– Se você se lembra, a segunda-feira foi um dia muito quente, e a senhora St. Clair caminhava vagarosamente, olhando para os lados em busca de uma carruagem de aluguel, já que não estava gostando do lugar em que se encontrava. Enquanto andava pela Swandam Lane, ouviu repentinamente uma exclamação ou grito, e gelou ao ver seu marido olhando para ela e, segundo lhe pareceu, chamando-a de uma janela do segundo andar. A janela estava aberta e pôde ver claramente o rosto dele, que ela descreve como estando terrivelmente nervoso. Ele acenou as mãos freneticamente para ela, e então desapareceu tão subitamente que pareceu que havia sido puxado para trás por uma força irresistível. Um ponto específico que chamou a atenção de seu rápido olhar feminino foi o fato de que, embora usasse um casaco escuro, como o que havia vestido para ir para a cidade, ele não estava de colarinho ou gravata.

"Convencida de que algo indevido estava ocorrendo, ela desceu as escadas da casa – não era outra senão o bar de ópio onde você me encontrou nesta noite – e, depois de atravessar correndo a porta da frente, tentou subir as escadas que levam ao primeiro andar. No pé da escadaria, no entanto, encontrou o patife do indiano de quem já falei, que a empurrou para trás e, ajudado por um dinamarquês que é assistente dele, arrastou-a até a rua. Cheia das mais enlouquecedoras dúvidas e medos, ela correu pela viela e, por muita sorte, encontrou, na Fresno Street, alguns policiais com um inspetor, todos a caminho de suas rondas. O inspetor e dois homens acompanharam-na de volta e, apesar da contínua resistência do proprietário, entraram na sala onde o senhor St. Clair havia sido visto pela última vez. Não havia sinal dele. De fato, naquele local não havia ninguém além de um mendigo de terrível aspecto, que havia feito dali a sua morada. Tanto ele quanto o indiano juraram que ninguém mais havia estado na sala da frente durante aquela tarde. A negativa era tão veemente que o inspetor ficou indeciso e quase acreditou que a senhora St. Clair havia se enganado quando, com um grito, ela saltou sobre uma pequena caixa que estava sobre a mesa e tirou a tampa. Dela caiu uma cascata de peças de armar. Era o brinquedo que ele havia prometido levar para casa.

"Essa descoberta, e a evidente confusão que o inválido demonstrou, fizeram com o que o inspetor percebesse que o assunto era sério. Os aposentos foram cuidadosamente examinados, e todas as conclusões apontavam para um crime abominável. A peça da frente estava mobiliada como uma sala de estar e dava para um pequeno quarto de dormir, que por sua vez dava para os fundos de um dos atracadouros. Entre o atracadouro e a janela do quarto há um espaço estreito, que é seco na maré baixa, mas que fica coberto na maré alta por pelo menos um metro e quarenta de água. A janela do quarto era larga e abria de baixo para cima. Na busca, sinais de sangue foram vistos no peitoril, e muitos pingos estavam visíveis no piso de madeira do quarto. Jogadas atrás de uma cortina na sala da frente estavam todas as roupas do senhor Neville St. Clair, à exceção do seu casaco. Suas botas, meias, chapéu e relógio, tudo estava lá. Não havia nenhum sinal de violência no vestuário, e não havia outro rastro do senhor Neville St. Clair. Ele parecia ter saído pela janela, já que nenhuma outra saída foi descoberta, e as sinistras manchas de sangue no peitoril davam pouca esperança de que ele pudesse se salvar nadando, já que a maré estava no seu pico no momento da tragédia.

"E agora falemos dos vilões que parecem estar diretamente implicados no caso. O indiano era conhecido como um homem com os piores antecedentes, mas, pela história contada pela senhora St. Clair, ele estava no pé da escada poucos segundos depois da aparição do marido na janela. Isso faz com que ele dificilmente tenha sido mais do que um acessório no crime. Em sua defesa, alegou absoluta ignorância e afirmou que não tinha nenhum conhecimento das atividades de Hugh Boone, seu inquilino, e que não tinha nenhuma explicação para a presença das roupas do cavalheiro desaparecido.

"Isso é o que diz respeito ao gerente indiano. Agora tratemos do inválido sinistro que vive no segundo andar do bar de ópio e que foi certamente o último ser humano que pousou os olhos sobre Neville St. Clair. Seu nome é Hugh Boone, e sua terrível face é familiar a todos os homens que vão regularmente à City. Ele é um mendigo profissional, embora finja ter um pequeno negócio de venda de fósforos para evitar incômodos com a polícia. Descendo um pouco a Threadneedle Street, à esquerda, há, como você já deve ter visto, um ângulo na parede. É ali que a criatura senta diariamente, com as pernas cruzadas e o pequeno estoque de fósforos no colo, e, como ele é um espetáculo de dar pena, uma pequena chuva de caridade cai no boné de couro seboso que fica na calçada diante dele. Já vi esse indivíduo mais de uma vez, antes mesmo de pensar em investigar suas atividades, e fiquei surpreso com o que ganha num curto espaço de tempo. A sua aparência, entenda, é tão marcante que ninguém consegue passar sem vê-lo. Um tufo de cabelos vermelhos, uma pálida face desfigurada por uma cicatriz horrível que torceu a parte de cima de seu lábio superior, um queixo de buldogue e uns olhos escuros muito penetrantes, que fazem um contraste singular com a cor do seu cabelo. Tudo isso o destaca entre a multidão normal de mendicantes, e também a sua sagacidade, já que está sempre pronto para responder a qualquer zombaria lançada pelos transeuntes. Este é o homem que nós agora sabemos ser o inquilino no bar de ópio, e também o último homem a ver o cavalheiro que estamos procurando."

– Mas um inválido! – disse eu. – O que ele pode ter feito com uma só mão contra um homem na plenitude da vida?

– Ele é um inválido no sentido de que caminha mancando. Mas, sob outros aspectos, parece ser um homem forte e bem-alimentado. A sua experiência médica lhe dirá, Watson, que a fraqueza de um membro normalmente é compensada com força excepcional nos outros.

– Por favor, continue a sua narrativa.

– A senhora St. Clair desmaiou ao ver o sangue na janela e foi levada para casa pela polícia em um cabriolé, já que a sua presença não seria útil nas investigações. O inspetor Barton, encarregado do caso, fez um exame muito cuidadoso do local, mas sem encontrar nada que pudesse jogar luz sobre o caso. Um engano foi cometido ao não prender Boone instantaneamente, já que lhe deram alguns minutos durante os quais ele deve ter se comunicado com seu amigo indiano, mas essa falha foi solucionada rapidamente, e ele foi algemado e revistado, sem que nada fosse encontrado que o pudesse incriminar. Havia, é verdade, algumas manchas de sangue na sua manga direita, mas ele mostrou o seu dedo anular, com um corte perto da unha, e explicou que o sangramento vinha de lá, acrescentando que havia estado na janela pouco tempo antes e que os pingos observados lá tinham sem dúvida a mesma origem. Ele negou energicamente que houvesse visto o senhor Neville St. Clair e jurou que a presença das roupas em sua sala era tão misteriosa para ele quanto para a polícia. Sobre a afirmação da senhora St. Clair de que realmente havia visto o marido na janela, ele declarou que ela deveria estar louca ou sonhando. Ele foi levado, sob protestos e a altos brados, para a delegacia, enquanto o inspetor permanecia no local na esperança de que a maré baixa trouxesse alguma nova pista.

"E ela trouxe, embora tenha sido difícil encontrá-la no lamaçal que temiam enfrentar. Foi o casaco de Neville St. Clair, e não Neville St. Clair, o que surgiu quando a maré recuou. E o que acha que foi encontrado nos bolsos?"

– Não consigo imaginar.

– Não, eu não creio que conseguiria adivinhar. Cada um dos bolsos estava cheio de cêntimos e meios-cêntimos. Eram 421 moedas de cêntimos e 270 meios-cêntimos. Não é de se espantar que não tenha sido arrastado pela maré. Mas um corpo humano é algo distinto. Há um feroz turbilhão entre a plataforma e a casa. Parece que o pesado casaco ficou quando o corpo nu foi sugado para o rio.

– Mas, pelo que entendi, todas as outras roupas foram encontradas na sala. O corpo estaria envolto somente em um casaco?

– Não, senhor, mas os fatos podem ser bastante ilusórios. Suponha que esse Boone tenha jogado Neville St. Clair pela janela. Nenhum olho humano poderia ter visto a ação. O que ele faria então? É claro que, instantaneamente, ocorreria a necessidade de livrar-se das roupas delatoras. Ele pegaria o casaco e, no ato de jogá-lo, se daria conta de que ele poderia mergulhar, e não boiar. Tinha pouco tempo, porque ouvia a discussão lá embaixo quando a mulher tentava subir as escadas, ou talvez ele já tivesse sabido pelo cúmplice indiano que a polícia subia a rua. Não havia um instante a ser perdido. Ele corre para o esconderijo onde guarda os frutos de sua mendicância e enche os bolsos do casaco com todas as moedas que consegue pegar para ter certeza de que afundará. Ele joga-o pela janela, e teria feito o mesmo com as outras roupas, se não tivesse ouvido os passos subindo as escadas, e só teve tempo de fechar a janela antes de a polícia entrar.

– Parece bastante plausível.

– Bem, tomaremos isso como uma hipótese de trabalho, na falta de uma melhor. Boone, como eu já lhe disse, foi preso e levado para a delegacia, mas não se demonstrou que tivesse algum mau antecedente. Ele era conhecido há anos como mendigo profissional, mas a sua vida parece ter sido muito quieta e inocente. Assim está o caso no momento, e as perguntas que têm que ser respondidas estão mais longe de uma solução do que nunca: o que Neville St. Clair fazia no bar de ópio? O que aconteceu a ele enquanto estava lá? Onde está agora? Qual a relação de Hugh Boone com esse desaparecimento? Confesso que não me lembro de nenhum caso que parecesse à primeira vista tão simples e, ainda assim, que apresentasse tantas dificuldades.

Enquanto Sherlock Holmes detalhava essa singular série de eventos, atravessamos rapidamente os arredores da grande cidade até que as últimas casas fossem deixadas para trás e passamos entre as sebes campestres que cresciam nos lados da estrada. Quando ele terminou, estávamos passando entre duas vilas, em cujas janelas ainda brilhavam algumas luzes.

– Estamos nos arredores de Lee – disse meu companheiro. – Passamos por três condados em nossa pequena viagem, começando em Middlesex, passando por uma ponta de Surrey e terminando em Kent. Vê aquela luz entre as árvores? É Cedars, e ao lado daquela lâmpada está sentada uma mulher cujos ansiosos ouvidos, estou seguro, já captaram o ruído dos cascos do nosso cavalo.

– Mas por que você não está conduzindo o caso de Baker Street?

– Por que há muitas investigações que precisam ser feitas aqui. A senhora St. Clair colocou gentilmente dois quartos à minha disposição, e você pode ter certeza de que o receberá com boas-vindas. Odeio vir ao encontro dela, Watson, sem notícias de seu marido. Aqui estamos. Pare, cavalo, pare!

Ele se havia detido em frente a uma grande vila localizada dentro de um parque privativo. Um cavalariço saiu e segurou a cabeça do cavalo, e, descendo, segui Holmes pelo pequeno e curvo caminho de cascalho que levava à casa. Enquanto nos aproximávamos, a porta se abriu, e uma pequena mulher loira parou na soleira, vestida numa espécie de leve *musseline-de-soie*[14], com um toque de chifom rosa no pescoço e nos pulsos. Ela ficou parada, com a silhueta destacada contra a luz, uma mão na porta, a outra ansiosamente meio erguida, o corpo levemente curvado, a cabeça e o rosto projetados para frente, olhos aflitos e lábios entreabertos, como se ela própria fosse um ponto de interrogação.

– E então? – gemeu. – E então?

E, vendo que éramos dois, deu um grito de esperança que esmoreceu quando ela viu meu companheiro sacudir a cabeça e encolher os ombros.

– Nenhuma boa notícia?

– Nenhuma?

– Nenhuma má?

– Nenhuma.

– Graças a Deus por isso. Mas, entre. O senhor deve estar esgotado, teve um longo dia.

– Este é meu amigo, doutor Watson. Ele foi de vital importância para mim em muitos dos meus casos, e um lance de boa sorte me permitiu trazê-lo e integrá-lo a esta investigação.

– Fico muito feliz em vê-lo – disse ela, apertando minha mão calorosamente. – Perdoará, estou segura, qualquer falta que cometamos na nossa hospitalidade, ao considerar a desgraça que sobreveio tão repentinamente em nossa casa.

---

14. "Musselina de seda". Em francês no original. (N. do T.)

– Minha cara madame – disse eu –, sou um militar veterano de campanhas e, ainda que não fosse, entendo perfeitamente que nenhuma justificativa é necessária. Se eu puder ser de alguma ajuda para a senhora ou para meu amigo aqui, ficarei muito feliz.

– Agora, senhor Sherlock Holmes – disse a dama ao entrarmos numa sala de jantar bem iluminada, sobre cuja mesa uma refeição fria havia sido posta –, eu gostaria de lhe fazer uma ou duas perguntas simples, para as quais espero que o senhor dê respostas também simples.

– Certamente, madame.

– Não se importe com meus sentimentos. Não sou histérica e não sou dada a desmaios. Simplesmente quero ouvir sua verdadeira opinião.

– Sobre qual ponto?

– No fundo do seu coração, o senhor acha que Neville está vivo?

Sherlock Holmes pareceu constrangido com a pergunta.

– Com franqueza, por favor! – ela repetiu, de pé sobre o tapete e olhando-o diretamente enquanto ele se reclinava numa cadeira de vime.

– Francamente, então, madame, acho que não.

– Acha que ele está morto?

– Acho.

– Assassinado?

– Não posso dizer. Talvez.

– E quando ele foi morto?

– Segunda-feira.

– Então talvez, senhor Holmes, possa ter a gentileza de explicar como é possível que eu tenha recebido esta carta dele hoje?

Sherlock Holmes saltou da cadeira como se tivesse sido eletrocutado.

– O quê! – ele rugiu.

– Sim, hoje – ela ficou em pé, sorrindo, segurando uma pequena folha de papel no ar.

– Posso vê-la?

– Certamente.

Ele tomou-a dela na sua ansiedade e, alisando-a sobre a mesa, aproximou a lâmpada, examinando-a com atenção. Eu havia deixado a minha cadeira e olhava sobre o seu ombro. O envelope era grosseiro e tinha o carimbo de Gravesend e a data daquele mesmo dia, ou, seria melhor dizer, do dia anterior, pois já passava de meia-noite.

– Uma letra grosseira! – murmurou Holmes. – Esta letra certamente não é de seu marido, madame.

– Não, mas a da carta que está dentro é.

– Também percebo que a pessoa que endereçou o envelope teve que pesquisar o endereço.

– Como sabe isso?

– Veja, o nome está escrito em tinta bem preta, que secou sozinha. O resto está numa cor cinza que mostra que foi usado um mata-borrão. Se tudo tivesse sido escrito de uma vez, e então usado o mata-borrão, nenhuma parte estaria em preto. Este homem escreveu o nome e então houve uma pausa antes que escrevesse o endereço, o que só pode significar que não sabia. É, obviamente, um detalhe, mas não existe nada mais importante do que os detalhes. Agora, vejamos a carta! Ah! Havia algo mais aqui!

– Sim, um anel. O anel de sinete dele.

– E a senhora tem certeza de que esta é a letra de seu marido?

– Uma delas.

– Uma delas?

– Sim, a de quando escreve apressadamente. É bastante distinta de sua escrita normal, e eu a conheço bem.

– "Querida, não fique assustada. Tudo ficará bem. Há um grande erro que talvez leve algum tempo para ser corrigido. Espere com paciência. Neville." Escrita a lápis em uma folha de um livro, formato in-oitavo, sem marca-d'água. Postada hoje em Gravesend por um homem com o polegar sujo. Ah! E a aba foi colada, se eu não estou muito enganado, por uma pessoa que esteve mascando tabaco. E a senhora não tem nenhuma dúvida de que esta é a letra de seu marido, madame?

– Nenhuma. Neville escreveu essas palavras.

– E elas foram postadas hoje em Gravesend. Bem, senhora St. Clair, as nuvens se abrem, embora eu não me arrisque a dizer que o perigo terminou.

– Mas ele deve estar vivo, senhor Holmes.

– A menos que isto seja uma inteligente falsificação para nos colocar atrás da pista errada. O anel não prova nada. Deve ter sido tirado dele.

– Não, não. É, é, é a letra dele!

– Muito bem. Pode, no entanto, ter sido escrita na segunda-feira e postada somente hoje.

– Isso é possível.

– Se foi, muita coisa pode ter ocorrido desde então.

– Oh, não me desencoraje, senhor Holmes. Eu sei que tudo está bem com ele. Há uma tal sintonia entre nós que eu saberia se algo mau lhe acontecesse. No dia em que o vi pela última vez, ele havia se cortado no quarto, e eu, que estava na sala de jantar, subi as escadas instantaneamente com a certeza de que algo havia acontecido. O senhor acha que eu seria sensível a uma coisa dessas e não pressentiria a sua morte?

– Eu já vi muito para saber que a sensibilidade de uma mulher pode ser muito mais útil que a conclusão de qualquer dedutor analítico. E, nesta carta, a senhora certamente tem uma forte prova para corroborar o seu ponto de vista. Mas, se o seu marido está vivo e capaz de escrever cartas, por que segue afastado da senhora?

– Não consigo imaginar. É inconcebível.

– E, na segunda-feira, ele não fez nenhuma observação antes de sair?

– Não.

– E a senhora se surpreendeu ao vê-lo na Swandam Lane?

– Muito.

– A janela estava aberta?

– Sim.

– Então ele deve tê-la chamado.

– Deve.

– Ele deu, pelo que entendo, somente um grito sem som?

– Sim.

– Um pedido de ajuda, a senhora acha?

– Sim. Ele acenou as mãos.

– Mas pode ter sido um grito de surpresa. O espanto diante da inesperada visão da senhora pode tê-lo levado a levantar as mãos.

– É possível.

– E a senhora achou que ele foi puxado para trás.

– Ele desapareceu repentinamente.

– Pode ter saltado para trás. A senhora não viu mais ninguém no quarto.

– Não, mas esse homem horrível confessou que estava lá, e o indiano estava no pé das escadas.

– Sim. O seu marido, pelo que a senhora pôde ver, usava as suas roupas habituais?

– Mas sem colarinho ou gravata. Eu vi muito bem o seu pescoço nu.

– Ele alguma vez mencionou-lhe a Swandam Lane?

– Nunca.

– Ele alguma vez mostrou sinais de haver consumido ópio?

– Nunca.

– Obrigado, senhora St. Clair. Esses eram os principais pontos que eu queria deixar totalmente claros. Agora, precisamos comer algo e então recolher-nos, já que amanhã teremos um dia muito ocupado.

Um quarto amplo e confortável com duas camas havia sido posto à nossa disposição, e eu me meti rapidamente entre os lençóis, pois estava exausto após a minha noite de aventura. Sherlock Holmes, no entanto, era um homem que, quando tinha um problema sem solução, podia passar dias ou mesmo uma semana sem descanso, dando voltas ao caso, reorganizando os fatos, analisando-o sob todos os pontos de vista, até que o resolvesse ou se convencesse de que os dados eram insuficientes. Ficou claro para mim que agora ele se preparava para uma noite inteira em claro. Ele tirou o casaco e o colete, colocou um grande robe azul e então andou pelo quarto pegando travesseiros da sua cama e almofadas do sofá e das poltronas. Com eles, construiu uma espécie de divã oriental, sobre o qual acomodou-se com as pernas cruzadas, uma porção de tabaco forte picado e uma caixa de fósforos na sua frente. Sob a luz débil da lâmpada, vi-o sentado lá, com um velho cachimbo de roseira entre os lábios, os olhos fixados no teto, a fumaça azul subindo, silencioso, imóvel, com a luz brilhando sobre as suas fortes feições aquilinas. Assim ele estava sentado e assim permanecia quando eu dormi, e uma exclamação repentina me acordou e vi que os primeiros raios de sol do verão penetravam no apartamento. O cachimbo ainda estava entre os seus lábios, a fumaça ainda subia, e o quarto estava cheio da densa névoa do tabaco, mas nada restava da porção que eu vi na noite anterior.

– Acordado, Watson? – ele perguntou.

– Sim.

– Disposto para um passeio matinal?

– Certamente.

– Então, vista-se. Ninguém está acordado ainda, mas sei onde dorme o cavalariço, e temos que sair logo.

Ele riu sozinho enquanto falava, os olhos brilhando, e pareceu um outro homem, diferente do sombrio pensador da noite anterior.

Enquanto eu me vestia, olhei o relógio. Não havia dúvida de que ninguém estava acordado. Eram 4h25. Eu mal havia terminado quando Holmes voltou com a notícia de que o rapaz estava aprontando o cavalo.

– Quero testar uma teoria – disse ele, colocando as botas. – Creio, Watson, que você está diante de um dos mais absolutos idiotas de toda a Europa. Eu mereço ser chutado daqui até Charing Cross. Mas acho que tenho a chave do mistério agora.

– E onde está? – perguntei, sorrindo.

– No banheiro – ele respondeu. – Oh, sim, não estou brincando – ele continuou, vendo meu olhar de incredulidade. – Eu estive lá agora, e a recolhi e pus dentro desta mala de couro Gladstone. Venha, meu garoto, e veremos se ela se encaixa na fechadura.

Descemos o mais rápido possível e saímos para a manhã clara. Na rua estava o cavalariço ainda meio vestido, segurando o nosso cabriolé e o cavalo. Entramos e tomamos a estrada para Londres. Havia algumas carroças, que levavam vegetais para a metrópole, mas as casas dos dois lados estavam tão silenciosas e sem vida como as de uma cidade de sonho.

– Em alguns pontos, este foi um caso singular – disse Holmes, golpeando o cavalo para que galopasse. – Confesso que eu estava tão cego quanto uma toupeira, mas é melhor ganhar sabedoria tarde do que nunca.

Na cidade, os madrugadores estavam apenas começando a olhar sonolentamente pelas janelas enquanto nós passávamos pelas ruas de Surrey. Descendo a estrada da ponte de Waterloo, atravessamos o rio e, percorrendo a Wellington Street, viramos à direita, e entramos na Bow Street. Sherlock Holmes era muito conhecido na polícia, e os dois policiais na porta cumprimentaram-no. Um deles segurou o cavalo, enquanto o outro nos levava para dentro.

– Quem está de plantão? – perguntou Holmes.

– O inspetor Bradstreet, senhor.

– Ah, Bradstreet, como está?

Um oficial alto desceu o corredor com piso de pedra, usando quepe e jaqueta.

– Preciso falar com você, Bradstreet.

– Certamente, senhor Holmes. Entre em meu escritório.

Era uma sala pequena, com um grande livro de registros sobre a mesa e um telefone na parede. O inspetor sentou-se à mesa.

– No que posso ajudá-lo, senhor Holmes?

– Vim por causa daquele mendigo, Boone. O que foi acusado de envolvimento com o desaparecimento do senhor Neville St. Clair, de Lee.

– Sim. Ele foi trazido e detido para mais averiguações.

– Foi o que eu soube. O senhor o mantém aqui?

– Nas celas.

– Ele está calmo?

– Oh, não dá nenhum problema. Mas é um canalha sujo.

– Sujo?

– Sim, fizemos tudo o que pudemos para fazê-lo lavar as mãos, e a sua cara está suja como a de um encanador. Bem, assim que o caso for solucionado, ele receberá um típico banho de prisão. Creio, se o vir, que concordará comigo que ele precisa de um.

– Eu gostaria muito de vê-lo.

– Gostaria? Isso é fácil. Venha por aqui. Pode deixar sua mala.

– Não, acho que a levarei comigo.

– Muito bem. Venha por aqui, por favor.

Ele conduziu-nos por um corredor, abriu uma porta gradeada, desceu uma escada em caracol e introduziu-nos num segundo corredor, pintado de branco com uma fileira de portas de cada lado.

– A dele é a terceira à direita – disse o inspetor. – Aqui está!

Ele abriu silenciosamente uma portinhola na parte de cima da porta e olhou para dentro.

– Está dormindo – disse ele. – Pode vê-lo muito bem.

Nós dois olhamos através da grade. O prisioneiro estava deitado com o rosto virado para nós, num sono muito pesado, respirando lenta e profundamente. Era um homem de porte médio, vestido de modo grosseiro e com uma camisa colorida aparecendo através dos rasgões do casaco esfarrapado. Estava, como disse o inspetor, extremamente sujo, mas a imundície que cobria seu rosto não escondia sua feiúra repulsiva. A marca de uma velha cicatriz corria do olho ao queixo, e a contratura havia retorcido um canto do lábio superior, de maneira que três dentes ficavam expostos num rito perpétuo. Um tufo de cabelo vermelho-vivo descia sobre seus olhos e testa.

– É uma beleza, não? – disse o inspetor.

– Ele certamente precisa de um banho – observou Holmes. – Eu achei que precisava e por isso tomei a liberdade de trazer os utensílios comigo.

Ele abriu a mala Gladstone enquanto falava e tirou de dentro, para meu espanto, uma esponja muito grande.

– O senhor é muito engraçado – riu o inspetor.

– Agora, se tiver a bondade de abrir a porta silenciosamente, em breve faremos com que tenha uma aparência bem mais respeitável.

– Bem, não há por que não fazê-lo – disse o inspetor. – Ele não dá nenhum prestígio às celas da Bow Street, não é verdade?

Ele colocou a chave na porta e todos nós entramos na cela silenciosamente. O adormecido virou-se um pouco e então voltou ao seu sono profundo. Holmes molhou a esponja no jarro de água e então a esfregou vigorosamente duas vezes, para cima e para baixo, na cara do prisioneiro.

– Deixe-me apresentá-lo – gritou ele – ao senhor Neville St. Clair, de Lee, condado de Kent.

Eu nunca em minha vida havia visto algo parecido. O rosto do homem descascou sob a esponja como a casca de uma árvore. O tom sujo e marrom se foi! Também estava desfeita a terrível cicatriz, e o lábio torcido que lhe dava um ar repulsivo! Um puxão removeu o revolto cabelo vermelho, e lá, sentado na cama, estava um homem pálido, triste e de ar refinado, de cabelo preto e pele macia, esfregando os olhos e olhando em volta em sonolenta confusão. Então, percebendo repentinamente que fora desmascarado, gritou e virou-se na cama, enterrando a cabeça no travesseiro.

– Céus! – exclamou o inspetor –, é realmente o homem desaparecido. Eu o reconheço pela fotografia.

O prisioneiro voltou-se com o ar de um homem que se abandona a seu destino.

– Que seja, então – disse ele. – E do que sou acusado?

– De dar sumiço no senhor Neville... Oh, o senhor não pode ser acusado disso, a não ser que transformemos o caso numa tentativa de suicídio – disse o inspetor, com uma risada. – Bem, eu estou há 27 anos na polícia, e isto realmente merece um prêmio!

– Se eu sou Neville St. Clair, então é óbvio que nenhum crime foi cometido e que eu estou, portanto, detido ilegalmente.

– Não há crime, mas um grande erro foi cometido – disse Holmes. – O senhor teria feito melhor se tivesse confiado em sua mulher.

– Não foi por minha mulher, mas pelas crianças – resmungou o prisioneiro. – Deus me ajude, mas eu não queria que tivessem vergonha do pai. Que escândalo! O que posso fazer?

Sherlock Holmes sentou a seu lado no catre e bateu gentilmente no seu ombro.

– Se deixar o assunto para ser resolvido por uma corte – disse ele –, dificilmente conseguirá evitar a publicidade. Por outro lado, se convencer as autoridades policiais de que não há motivo para processá-lo, não vejo razão alguma para que os detalhes cheguem ao conhecimento da imprensa. O inspetor Bradstreet, estou certo, tomará notas sobre qualquer coisa que queira nos dizer e as submeterá às autoridades adequadas. Desta forma, o caso não chegará ao tribunal.

– Deus o abençoe! – gritou o prisioneiro, emocionado. – Eu teria enfrentado a prisão, sim, e até a execução, para evitar que meu terrível segredo atingisse os meus filhos.

"O senhor é o primeiro a ouvir a minha história. Meu pai era diretor de uma escola em Chesterfield, onde tive uma excelente educação. Viajei na minha juventude, atuei nos palcos e por fim tornei-me um repórter em um jornal vespertino de Londres. Um dia, meu editor pediu uma série de reportagens sobre a mendicância na metrópole, e eu me dispus a fazê-las. Foi quando minha aventura começou. Planejei recolher os fatos para embasar os meus artigos fingindo ser um mendigo. Quando atuei, é claro, aprendi todos os segredos da maquiagem e fiquei famoso nos bastidores por meu talento. Tirei vantagem disso. Pintei meu rosto e, para me tornar objeto de pena, desenhei uma boa cicatriz e virei um lado de meus lábios com a ajuda de gesso cor de carne. Então, com uma peruca de cabelo vermelho e a vestimenta apropriada, escolhi um local na parte mais movimentada da City, aparentemente como vendedor de fósforos, mas na verdade como mendigo. Fiquei lá durante sete horas e, quando voltei para casa à noite, descobri, para minha surpresa, que havia recebido não menos que 26 xelins e quatro cêntimos.

"Escrevi minhas reportagens e pensei um pouco mais no assunto, até que, algum tempo depois, avalizei uma dívida para um amigo e recebi uma cobrança judicial de 25 libras. Eu já não sabia mais como obter o dinheiro, e uma súbita idéia surgiu. Solicitei duas semanas adicionais de prazo ao credor, pedi folga a meus empregadores e passei esse tempo esmolando na City, oculto por meu disfarce. Obtive o dinheiro em dez dias e paguei o débito.

"Bem, o senhor pode imaginar como tornou-se difícil viver com um árduo trabalho que paga duas libras por semana, quando soube que podia ganhar isso em um só dia somente sujando meu rosto com um pouco de tinta, largando meu boné no chão e ficando sentado sem mover-me. Seguiu-se uma grande luta entre meu orgulho e o dinheiro, mas no final o dinheiro venceu, e eu desisti da reportagem e passei a sentar, dia após dia, na esquina que eu havia escolhido, produzindo pena com minha cara medonha e enchendo os bolsos de moedas. Só um homem conhecia o meu segredo. Era o encarregado de um bar de ópio onde eu costumava pernoitar na Swandam Lane, de onde eu podia sair todas as manhãs como o mendigo esquálido e às noites me transformava no homem cosmopolita bem-vestido. Este camarada, um marinheiro indiano, era muito bem pago por mim, de modo que eu sabia que o meu segredo estava a salvo em suas mãos.

"Bem, muito cedo descobri que estava ganhando consideráveis somas em dinheiro. Eu não quero dizer que qualquer mendigo das ruas de Londres consiga ganhar 700 libras por ano, o que é menos do que a minha média, mas eu dispunha de grande vantagem por causa de minha habilidade com a maquiagem, e também com a minha facilidade de retrucar, que melhorou com a prática, o que me tornou um personagem conhecido na City. Todos os dias, um jorro de moedas de cobre, às vezes de prata, caía diante de mim, e eu só ganhava menos de duas libras em dias muito ruins.

"Comecei a enriquecer e fiquei mais ambicioso. Comprei uma casa no campo e casei-me, sem que ninguém suspeitasse de minha real ocupação. Minha querida mulher sabia que eu tinha negócios na City. Ela nem imaginava o quê.

"Na última segunda-feira, eu tinha terminado minha jornada e vestia-me em meu quarto sobre o bar de ópio quando olhei pela janela e vi, para meu horror e espanto, que minha mulher estava em pé na rua, com os olhos fixados em mim. Dei um grito de surpresa, ergui os braços para cobrir o rosto e, correndo até meu confidente, o indiano, implorei que ele impedisse qualquer pessoa de subir as escadas até onde eu estava. Ouvi a voz dela lá embaixo, mas eu sabia que ela não subiria. Tirei rapidamente as minhas roupas, coloquei as vestes de mendigo e pus a maquiagem e a peruca. Nem mesmo os olhos de uma mulher conseguem atravessar esse disfarce. Mas então dei-me conta de que poderia haver uma busca no quarto e que as roupas poderiam trair-me. Abri rapidamente a janela e, com a violência, um pequeno corte que eu tinha feito no meu quarto naquela manhã sangrou. Então peguei o casaco, que estava pesado por causa das moedas que eu acabara de transferir para ele da bolsa de couro em que costumo carregar minhas coisas, joguei-o pela janela, e ele desapareceu no Tâmisa. As outras roupas teriam-no seguido, mas naquele momento começou o barulho dos policiais subindo as escadas, e depois de alguns minutos eu descobri, confesso, para meu alívio, que em vez de ser identificado como Neville St. Clair, eu havia sido preso como seu assassino.

"Acho que não há mais nada para explicar. Eu estava determinado a preservar meu disfarce enquanto fosse possível, e por isso a minha preferência pelo rosto sujo. Sabendo que minha mulher ficaria terrivelmente ansiosa, tirei o anel e dei-o para o indiano em um momento em que nenhum policial estava me vigiando, junto com um bilhete garatujado, dizendo a ela que não havia motivo para temer."

– Essa nota só chegou ontem – disse Holmes.

– Bom Deus! Ela deve ter passado uma semana terrível.

– A polícia estava vigiando o indiano – disse o inspetor Bradstreet – e acredito que ele tenha enfrentado dificuldades para postar uma carta sem que fosse observado. Provavelmente deixou-a com algum marinheiro cliente do bar, que a esqueceu por alguns dias.

– Então foi isso – disse Holmes, balançando a cabeça afirmativamente –, não tenho dúvidas. Mas o senhor nunca foi processado por esmolar?

– Muitas vezes. Mas o que significava uma multa para mim?

– Devemos parar por aqui – disse Bradstreet. – Se a polícia silenciar sobre isso tudo, Hugh Boone também deve desaparecer.

– Eu juro pelos mais solenes votos que um homem pode fazer.

– Neste caso, creio que é provável que nenhum passo adicional seja dado no processo. Mas, se o senhor for pego de novo, então tudo será revelado. Estou certo, senhor Holmes, que estamos em dívida com o senhor por haver esclarecido o caso. Gostaria de saber como chega a esses resultados.

– Neste caso – disse meu amigo –, sentado sobre cinco travesseiros e consumindo uma porção de tabaco. Creio, Watson, que, se formos para Baker Street, chegaremos a tempo de tomar o café-da-manhã.

Coleção **L&PM** POCKET

1.**Catálogo geral da Coleção**
2.**Poesias** – Fernando Pessoa
3.**O livro dos sonetos** – org. Sergio Faraco
4.**Hamlet** – Shakespeare / trad. Millôr
5.**Isadora, frag. autobiográficos** – Isadora Duncan
6.**Histórias sicilianas** – G. Lampedusa
7.**O relato de Arthur Gordon Pym** – Edgar A. Poe
8.**A mulher mais linda da cidade** – Bukowski
9.**O fim de Montezuma** – Hernan Cortez
10.**A ninfomania** – D. T. Bienville
11.**As aventuras de Robinson Crusoé** – D. Defoe
12.**Histórias de amor** – A. Bioy Casares
13.**Armadilha mortal** – Roberto Arlt
14.**Contos de fantasmas** – Daniel Defoe
15.**Os pintores cubistas** – G. Apollinaire
16.**A morte de Ivan Ilitch** – L.Tolstói
17.**A desobediência civil** – D. H. Thoreau
18.**Liberdade, liberdade** – F. Rangel e M. Fernandes
19.**Cem sonetos de amor** – Pablo Neruda
20.**Mulheres** – Eduardo Galeano
21.**Cartas a Théo** – Van Gogh
22.**Don Juan** – Molière / Trad. Millôr Fernandes
24.**Horla** – Guy de Maupassant
25.**O caso de Charles Dexter Ward** – Lovecraft
26.**Vathek** – William Beckford
27.**Hai-Kais** – Millôr Fernandes
28.**Adeus, minha adorada** – Raymond Chandler
29.**Cartas portuguesas** – Mariana Alcoforado
30.**A mensageira das violetas** – Florbela Espanca
31.**Espumas flutuantes** – Castro Alves
32.**Dom Casmurro** – Machado de Assis
34.**Alves & Cia.** – Eça de Queiroz
35.**Uma temporada no inferno** – A. Rimbaud
36.**A corresp. de Fradique Mendes** – Eça de Queiroz
38.**Antologia poética** – Olavo Bilac
39.**O rei Lear** – Shakespeare
40.**Memórias póstumas de Brás Cubas** – M. de Assis
41.**Que loucura!** – Woody Allen
42.**O duelo** – Casanova
44.**Gentidades** – Darcy Ribeiro
45.**Mem. de um Sarg. de Milícias** – M. A. de Almeida
46.**Os escravos** – Castro Alves
47.**O desejo pego pelo rabo** – Pablo Picasso
48.**Os inimigos** – Máximo Gorki
49.**O colar de veludo** – Alexandre Dumas
50.**Livro dos bichos** – Vários
51.**Quincas Borba** – Machado de Assis
53.**O exército de um homem só** – Moacyr Scliar
54.**Frankenstein** – Mary Shelley
55.**Dom Segundo Sombra** – Ricardo Güiraldes
56.**De vagões e vagabundos** – Jack London
57.**O homem bicentenário** – Isaac Asimov
58.**A viuvinha** – José de Alencar
59.**Livro das cortesãs** – org. de Sergio Faraco
60.**Últimos poemas** – Pablo Neruda
61.**A moreninha** – Joaquim Manuel de Macedo
62.**Cinco minutos** – José de Alencar
63.**Saber envelhecer e a amizade** – Cícero
64.**Enquanto a noite não chega** – J. Guimarães
65.**Tufão** – Joseph Conrad
66.**Aurélia** – Gérard de Nerval
67.**I-Juca-Pirama** – Gonçalves Dias
68.**Fábulas** – Esopo
69.**Teresa Filósofa** – Anônimo do Séc. XVIII
70.**Avent. inéditas de Sherlock Holmes** – A. C. Doyle
71.**Quintana de bolso** – Mario Quintana
72.**Antes e depois** – Paul Gauguin
73.**A morte de Olivier Bécaille** – Émile Zola
74.**Iracema** – José de Alencar
75.**Iaiá Garcia** – Machado de Assis
76.**Utopia** – Tomás Morus
77.**Sonetos para amar o amor** – Camões
78.**Carmem** – Prosper Mérimée
79.**Senhora** – José de Alencar
80.**Hagar, o horrível 1** – Dik Browne
81.**O coração das trevas** – Joseph Conrad
82.**Um estudo em vermelho** – Arthur Conan Doyle
83.**Todos os sonetos** – Augusto dos Anjos
84.**A propriedade é um roubo** – P.-J Proudhon
85.**Drácula** – Bram Stoker
86.**O marido complacente** – Sade
87.**De profundis** – Oscar Wilde
88.**Sem plumas** – Woody Allen
89.**Os bruzundangas** – Lima Barreto
90.**O cão dos Baskervilles** – Arthur Conan Doyle
91.**Paraísos artificiais** – Charles Baudelaire
92.**Cândido, ou o otimismo** – Voltaire
93.**Triste fim de Policarpo Quaresma** – Lima Barreto
94.**Amor de perdição** – Camilo Castelo Branco
95.**A megera domada** – Shakespeare / trad. Millôr
96.**O mulato** – Aluísio Azevedo
97.**O alienista** – Machado de Assis
98.**O livro dos sonhos** – Jack Kerouac
99.**Noite na taverna** – Álvares de Azevedo
100.**Aura** – Carlos Fuentes
102.**Contos gauchescos e Lendas do sul** – Simões Lopes Neto
103.**O cortiço** – Aluísio Azevedo
104.**Marília de Dirceu** – T. A. Gonzaga
105.**O Primo Basílio** – Eça de Queiroz
106.**O ateneu** – Raul Pompéia
107.**Um escândalo na Boêmia** – Arthur Conan Doyle
108.**Contos** – Machado de Assis
109.**200 Sonetos** – Luis Vaz de Camões
110.**O príncipe** – Maquiavel
111.**A escrava Isaura** – Bernardo Guimarães
112.**O solteirão nobre** – Conan Doyle
114.**Shakespeare de A a Z** – Shakespeare
115.**A relíquia** – Eça de Queiroz
117.**Livro do corpo** – Vários
118.**Lira dos 20 anos** – Álvares de Azevedo
119.**Esaú e Jacó** – Machado de Assis
120.**A barcarola** – Pablo Neruda
121.**Os conquistadores** – Júlio Verne
122.**Contos breves** – G. Apollinaire
123.**Taipi** – Herman Melville

124.**Livro dos desaforos** – org. de Sergio Faraco
125.**A mão e a luva** – Machado de Assis
126.**Doutor Miragem** – Moacyr Scliar
127.**O penitente** – Isaac B. Singer
128.**Diários da descoberta da América** – C.Colombo
129.**Édipo Rei** – Sófocles
130.**Romeu e Julieta** – Shakespeare
131.**Hollywood** – Bukowski
132.**Billy the Kid** – Pat Garrett
133.**Cuca fundida** – Woody Allen
134.**O jogador** – Dostoiévski
135.**O livro da selva** – Rudyard Kipling
136.**O vale do terror** – Arthur Conan Doyle
137.**Dançar tango em Porto Alegre** – S. Faraco
138.**O gaúcho** – Carlos Reverbel
139.**A volta ao mundo em oitenta dias** – J. Verne
140.**O livro dos esnobes** – W. M. Thackeray
141.**Amor & morte em Poodle Springs** – Raymond Chandler & R. Parker
142.**As aventuras de David Balfour** – Stevenson
143.**Alice no país das maravilhas** – Lewis Carroll
144.**A ressurreição** – Machado de Assis
145.**Inimigos, uma história de amor** – I. Singer
146.**O Guarani** – José de Alencar
147.**A cidade e as serras** – Eça de Queiroz
148.**Eu e outras poesias** – Augusto dos Anjos
149.**A mulher de trinta anos** – Balzac
150.**Pomba enamorada** – Lygia F. Telles
151.**Contos fluminenses** – Machado de Assis
152.**Antes de Adão** – Jack London
153.**Intervalo amoroso** – A.Romano de Sant'Anna
154.**Memorial de Aires** – Machado de Assis
155.**Naufrágios e comentários** – Cabeza de Vaca
156.**Ubirajara** – José de Alencar
157.**Textos anarquistas** – Bakunin
159.**Amor de salvação** – Camilo Castelo Branco
160.**O gaúcho** – José de Alencar
161.**O livro das maravilhas** – Marco Polo
162.**Inocência** – Visconde de Taunay
163.**Helena** – Machado de Assis
164.**Uma estação de amor** – Horácio Quiroga
165.**Poesia reunida** – Martha Medeiros
166.**Memórias de Sherlock Holmes** – Conan Doyle
167.**A vida de Mozart** – Stendhal
168.**O primeiro terço** – Neal Cassady
169.**O mandarim** – Eça de Queiroz
170.**Um espinho de marfim** – Marina Colasanti
171.**A ilustre Casa de Ramires** – Eça de Queiroz
172.**Lucíola** – José de Alencar
173.**Antígona** – Sófocles – trad. Donaldo Schüler
174.**Otelo** – William Shakespeare
175.**Antologia** – Gregório de Matos
176.**A liberdade de imprensa** – Karl Marx
177.**Casa de pensão** – Aluísio Azevedo
178.**São Manuel Bueno, Mártir** – Unamuno
179.**Primaveras** – Casimiro de Abreu
180.**O noviço** – Martins Pena
181.**O sertanejo** – José de Alencar
182.**Eurico, o presbítero** – Alexandre Herculano
183.**O signo dos quatro** – Conan Doyle
184.**Sete anos no Tibet** – Heinrich Harrer
185.**Vagamundo** – Eduardo Galeano
186.**De repente acidentes** – Carl Solomon
187.**As minas de Salomão** – Rider Haggar
188.**Uivo** – Allen Ginsberg
189.**A ciclista solitária** – Conan Doyle
190.**Os seis bustos de Napoleão** – Conan Doyle
191.**Cortejo do divino** – Nelida Piñon
194.**Os crimes do amor** – Marquês de Sade
195.**Besame Mucho** – Mário Prata
196.**Tuareg** – Alberto Vázquez-Figueroa
197.**O longo adeus** – Raymond Chandler
199.**Notas de um velho safado** – Bukowski
200.**111 ais** – Dalton Trevisan
201.**O nariz** – Nicolai Gogol
202.**O capote** – Nicolai Gogol
203.**Macbeth** – William Shakespeare
204.**Heráclito** – Donaldo Schüler
205.**Você deve desistir, Osvaldo** – Cyro Martins
206.**Memórias de Garibaldi** – A. Dumas
207.**A arte da guerra** – Sun Tzu
208.**Fragmentos** – Caio Fernando Abreu
209.**Festa no castelo** – Moacyr Scliar
210.**O grande deflorador** – Dalton Trevisan
212.**Homem do princípio ao fim** – Millôr Fernandes
213.**Aline e seus dois namorados (1)** – A. Iturrusgarai
214.**A juba do leão** – Sir Arthur Conan Doyle
215.**Assassino metido a esperto** – R. Chandler
216.**Confissões de um comedor de ópio** – T.De Quincey
217.**Os sofrimentos do jovem Werther** – Goethe
218.**Fedra** – Racine / Trad. Millôr Fernandes
219.**O vampiro de Sussex** – Conan Doyle
220.**Sonho de uma noite de verão** – Shakespeare
221.**Dias e noites de amor e de guerra** – Galeano
222.**O Profeta** – Khalil Gibran
223.**Flávia, cabeça, tronco e membros** – M. Fernandes
224.**Guia da ópera** – Jeanne Suhamy
225.**Macário** – Álvares de Azevedo
226.**Etiqueta na prática** – Celia Ribeiro
227.**Manifesto do partido comunista** – Marx & Engels
228.**Poemas** – Millôr Fernandes
229.**Um inimigo do povo** – Henrik Ibsen
230.**O paraíso destruído** – Frei B. de las Casas
231.**O gato no escuro** – Josué Guimarães
232.**O mágico de Oz** – L. Frank Baum
233.**Armas no Cyrano's** – Raymond Chandler
234.**Max e os felinos** – Moacyr Scliar
235.**Nos céus de Paris** – Alcy Cheuiche
236.**Os bandoleiros** – Schiller
237.**A primeira coisa que eu botei na boca** – Deonísio da Silva
238.**As aventuras de Simbad, o marújo**
239.**O retrato de Dorian Gray** – Oscar Wilde
240.**A carteira de meu tio** – J. Manuel de Macedo
241.**A luneta mágica** – J. Manuel de Macedo
242.**A metamorfose** – Kafka
243.**A flecha de ouro** – Joseph Conrad
244.**A ilha do tesouro** – R. L. Stevenson
245.**Marx - Vida & Obra** – José A. Giannotti
246.**Gênesis**
247.**Unidos para sempre** – Ruth Rendell
248.**A arte de amar** – Ovídio
249.**O sono eterno** – Raymond Chandler
250.**Novas receitas do Anonymus Gourmet** – J.A.P.M.

251.**A nova catacumba** – Arthur Conan Doyle
252.**Dr. Negro** – Arthur Conan Doyle
253.**Os voluntários** – Moacyr Scliar
254.**A bela adormecida** – Irmãos Grimm
255.**O príncipe sapo** – Irmãos Grimm
256.**Confissões** *e* **Memórias** – H. Heine
257.**Viva o Alegrete** – Sergio Faraco
258.**Vou estar esperando** – R. Chandler
259.**A senhora Beate e seu filho** – Schnitzler
260.**O ovo apunhalado** – Caio Fernando Abreu
261.**O ciclo das águas** – Moacyr Scliar
262.**Millôr Definitivo** – Millôr Fernandes
264.**Viagem ao centro da Terra** – Júlio Verne
265.**A dama do lago** – Raymond Chandler
266.**Caninos brancos** – Jack London
267.**O médico e o monstro** – R. L. Stevenson
268.**A tempestade** – William Shakespeare
269.**Assassinatos na rua Morgue** – E. Allan Poe
270.**99 corruíras nanicas** – Dalton Trevisan
271.**Broquéis** – Cruz e Sousa
272.**Mês de cães danados** – Moacyr Scliar
273.**Anarquistas – vol. 1 – A idéia** – G. Woodcock
274.**Anarquistas – vol. 2 – O movimento** – G. Woodcock
275.**Pai e filho, filho e pai** – Moacyr Scliar
276.**As aventuras de Tom Sawyer** – Mark Twain
277.**Muito barulho por nada** – W. Shakespeare
278.**Elogio da loucura** – Erasmo
279.**Autobiografia de Alice B. Toklas** – G. Stein
280.**O chamado da floresta** – J. London
281.**Uma agulha para o diabo** – Ruth Rendell
282.**Verdes vales do fim do mundo** – A. Bivar
283.**Ovelhas negras** – Caio Fernando Abreu
284.**O fantasma de Canterville** – O. Wilde
285.**Receitas de Yayá Ribeiro** – Celia Ribeiro
286.**A galinha degolada** – H. Quiroga
287.**O último adeus de Sherlock Holmes** – A. Conan Doyle
288.**A. Gourmet** *em* **Histórias de cama & mesa** – J. A. Pinheiro Machado
289.**Topless** – Martha Medeiros
290.**Mais receitas do Anonymus Gourmet** – J. A. Pinheiro Machado
291.**Origens do discurso democrático** – D. Schüler
292.**Humor politicamente incorreto** – Nani
293.**O teatro do bem e do mal** – E. Galeano
294.**Garibaldi & Manoela** – J. Guimarães
295.**10 dias que abalaram o mundo** – John Reed
296.**Numa fria** – Bukowski
297.**Poesia de Florbela Espanca** vol. 1
298.**Poesia de Florbela Espanca** vol. 2
299.**Escreva certo** – E. Oliveira e M. E. Bernd
300.**O vermelho e o negro** – Stendhal
301.**Ecce homo** – Friedrich Nietzsche
302(7).**Comer bem, sem culpa** – Dr. Fernando Lucchese, A. Gourmet e Iotti
303.**O livro de Cesário Verde** – Cesário Verde
305.**100 receitas de macarrão** – S. Lancellotti
306.**160 receitas de molhos** – S. Lancellotti
307.**100 receitas light** – H. e Â. Tonetto
308.**100 receitas de sobremesas** – Celia Ribeiro
309.**Mais de 100 dicas de churrasco** – Leon Diziekaniak
310.**100 receitas de acompanhamentos** – C. Cabeda
311.**Honra ou vendetta** – S. Lancellotti
312.**A alma do homem sob o socialismo** – Oscar Wilde
313.**Tudo sobre Yôga** – Mestre De Rose
314.**Os varões assinalados** – Tabajara Ruas
315.**Édipo em Colono** – Sófocles
316.**Lisístrata** – Aristófanes / trad. Millôr
317.**Sonhos de Bunker Hill** – John Fante
318.**Os deuses de Raquel** – Moacyr Scliar
319.**O colosso de Marússia** – Henry Miller
320.**As eruditas** – Molière / trad. Millôr
321.**Radicci 1** – Iotti
322.**Os Sete contra Tebas** – Ésquilo
323.**Brasil Terra à vista** – Eduardo Bueno
324.**Radicci 2** – Iotti
325.**Júlio César** – William Shakespeare
326.**A carta de Pero Vaz de Caminha**
327.**Cozinha Clássica** – Sílvio Lancellotti
328.**Madame Bovary** – Gustave Flaubert
329.**Dicionário do viajante insólito** – M. Scliar
330.**O capitão saiu para o almoço...** – Bukowski
331.**A carta roubada** – Edgar Allan Poe
332.**É tarde para saber** – Josué Guimarães
333.**O livro de bolso da Astrologia** – Maggy Harrisonx e Mellina Li
334.**1933 foi um ano ruim** – John Fante
335.**100 receitas de arroz** – Aninha Comas
336.**Guia prático do Português correto – vol. 1** – Cláudio Moreno
337.**Bartleby, o escriturário** – H. Melville
338.**Enterrem meu coração na curva do rio** – Dee Brown
339.**Um conto de Natal** – Charles Dickens
340.**Cozinha sem segredos** – J. A. P. Machado
341.**A dama das Camélias** – A. Dumas Filho
342.**Alimentação saudável** – H. e Â. Tonetto
343.**Continhos galantes** – Dalton Trevisan
344.**A Divina Comédia** – Dante Alighieri
345.**A Dupla Sertanojo** – Santiago
346.**Cavalos do amanhecer** – Mario Arregui
347.**Biografia de Vincent van Gogh por sua cunhada** – Jo van Gogh-Bonger
348.**Radicci 3** – Iotti
349.**Nada de novo no front** – E. M. Remarque
350.**A hora dos assassinos** – Henry Miller
351.**Flush - Memórias de um cão** – Virginia Woolf
352.**A guerra no Bom Fim** – M. Scliar
353(1).**O caso Saint-Fiacre** – Simenon
354(2).**Morte na alta sociedade** – Simenon
355(3).**O cão amarelo** – Simenon
356(4).**Maigret e o homem do banco** – Simenon
357.**As uvas e o vento** – Pablo Neruda
358.**On the road** – Jack Kerouac
359.**O coração amarelo** – Pablo Neruda
360.**Livro das perguntas** – Pablo Neruda
361.**Noite de Reis** – William Shakespeare
362.**Manual de Ecologia** – vol.1 – J. Lutzenberger
363.**O mais longo dos dias** – Cornelius Ryan
364.**Foi bom prá você?** – Nani
365.**Crepusculário** – Pablo Neruda
366.**A comédia dos erros** – Shakespeare
367(5).**A primeira investigação de Maigret** – Simenon

368(6).**As férias de Maigret** – Simenon
369.**Mate-me por favor (vol.1)** – L. McNeil
370.**Mate-me por favor (vol.2)** – L. McNeil
371.**Carta ao pai** – Kafka
372.**Os vagabundos iluminados** – J. Kerouac
373(7).**O enforcado** – Simenon
374(8).**A fúria de Maigret** – Simenon
375.**Vargas, uma biografia política** – H. Silva
376.**Poesia reunida (vol.1)** – A. R. de Sant'Anna
377.**Poesia reunida (vol.2)** – A. R. de Sant'Anna
378.**Alice no país do espelho** – Lewis Carroll
379.**Residência na Terra 1** – Pablo Neruda
380.**Residência na Terra 2** – Pablo Neruda
381.**Terceira Residência** – Pablo Neruda
382.**O delírio amoroso** – Bocage
383.**Futebol ao sol e à sombra** – E. Galeano
384(9).**O porto das brumas** – Simenon
385(10).**Maigret e seu morto** – Simenon
386.**Radicci 4** – Iotti
387.**Boas maneiras & sucesso nos negócios** – Celia Ribeiro
388.**Uma história Farroupilha** – M. Scliar
389.**Na mesa ninguém envelhece** – J. A. P. Machado
390.**200 receitas inéditas do Anonymus Gourmet** – J. A. Pinheiro Machado
391.**Guia prático do Português correto – vol.2** – Cláudio Moreno
392.**Breviário das terras do Brasil** – Assis Brasil
393.**Cantos Cerimoniais** – Pablo Neruda
394.**Jardim de Inverno** – Pablo Neruda
395.**Antonio e Cleópatra** – William Shakespeare
396.**Tróia** – Cláudio Moreno
397.**Meu tio matou um cara** – Jorge Furtado
398.**O anatomista** – Federico Andahazi
399.**As viagens de Gulliver** – Jonathan Swift
400.**Dom Quixote –** (v. 1) – Miguel de Cervantes
401.**Dom Quixote –** (v. 2) – Miguel de Cervantes
402.**Sozinho no Pólo Norte** – Thomaz Brandolin
403.**Matadouro 5** – Kurt Vonnegut
404.**Delta de Vênus** – Anaïs Nin
405.**O melhor de Hagar 2** – Dik Browne
406.**É grave Doutor?** – Nani
407.**Orai pornô** – Nani
408(11).**Maigret em Nova York** – Simenon
409(12).**O assassino sem rosto** – Simenon
410(13).**O mistério das jóias roubadas** – Simenon
411.**A irmãzinha** – Raymond Chandler
412.**Três contos** – Gustave Flaubert
413.**De ratos e homens** – John Steinbeck
414.**Lazarilho de Tormes** – Anônimo do séc. XVI
415.**Triângulo das águas** – Caio Fernando Abreu
416.**100 receitas de carnes** – Sílvio Lancellotti
417.**Histórias de robôs:** vol. 1 – org. Isaac Asimov
418.**Histórias de robôs:** vol. 2 – org. Isaac Asimov
419.**Histórias de robôs:** vol. 3 – org. Isaac Asimov
420.**O país dos centauros** – Tabajara Ruas
421.**A república de Anita** – Tabajara Ruas
422.**A carga dos lanceiros** – Tabajara Ruas
423.**Um amigo de Kafka** – Isaac Singer
424.**As alegres matronas de Windsor** – Shakespeare
425.**Amor e exílio** – Isaac Bashevis Singer
426.**Use & abuse do seu signo** – Marília Fiorillo e Marylou Simonsen
427.**Pigmaleão** – Bernard Shaw
428.**As fenícias** – Eurípides
429.**Everest** – Thomaz Brandolin
430.**A arte de furtar** – Anônimo do séc. XVI
431.**Billy Bud** – Herman Melville
432.**A rosa separada** – Pablo Neruda
433.**Elegia** – Pablo Neruda
434.**A garota de Cassidy** – David Goodis
435.**Como fazer a guerra: máximas de Napoleão** – Balzac
436.**Poemas escolhidos** – Emily Dickinson
437.**Gracias por el fuego** – Mario Benedetti
438.**O sofá** – Crébillon Fils
439.**O "Martín Fierro"** – Jorge Luis Borges
440.**Trabalhos de amor perdidos** – W. Shakespeare
441.**O melhor de Hagar 3** – Dik Browne
442.**Os Maias (volume1)** – Eça de Queiroz
443.**Os Maias (volume2)** – Eça de Queiroz
444.**Anti-Justine** – Restif de La Bretonne
445.**Juventude** – Joseph Conrad
446.**Contos** – Eça de Queiroz
447.**Janela para a morte** – Raymond Chandler
448.**Um amor de Swann** – Marcel Proust
449.**À paz perpétua** – Immanuel Kant
450.**A conquista do México** – Hernan Cortez
451.**Defeitos escolhidos e 2000** – Pablo Neruda
452.**O casamento do céu e do inferno** – William Blake
453.**A primeira viagem ao redor do mundo** – Antonio Pigafetta
454(14).**Uma sombra na janela** – Simenon
455(15).**A noite da encruzilhada** – Simenon
456(16).**A velha senhora** – Simenon
457.**Sartre** – Annie Cohen-Solal
458.**Discurso do método** – René Descartes
459.**Garfield em grande forma (1)** – Jim Davis
460.**Garfield está de dieta** (2) – Jim Davis
461.**O livro das feras** – Patricia Highsmith
462.**Viajante solitário** – Jack Kerouac
463.**Auto da barca do inferno** – Gil Vicente
464.**O livro vermelho dos pensamentos de Millôr** – Millôr Fernandes
465.**O livro dos abraços** – Eduardo Galeano
466.**Voltaremos!** – José Antonio Pinheiro Machado
467.**Rango** – Edgar Vasques
468(8).**Dieta mediterrânea** – Dr. Fernando Lucchese e José Antonio Pinheiro Machado
469.**Radicci 5** – Iotti
470.**Pequenos pássaros** – Anaïs Nin
471.**Guia prático do Português correto – vol.3** – Cláudio Moreno
472.**Atire no pianista** – David Goodis
473.**Antologia Poética** – García Lorca
474.**Alexandre e César** – Plutarco
475.**Uma espiã na casa do amor** – Anaïs Nin
476.**A gorda do Tiki Bar** – Dalton Trevisan
477.**Garfield um gato de peso (3)** – Jim Davis
478.**Canibais** – David Coimbra
479.**A arte de escrever** – Arthur Schopenhauer
480.**Pinóquio** – Carlo Collodi
481.**Misto-quente** – Bukowski
482.**A lua na sarjeta** – David Goodis
483.**O melhor do Recruta Zero (1)** – Mort Walker

484.**Aline: TPM – tensão pré-monstrual (2)** – Adão Iturrusgarai
485.**Sermões do Padre Antonio Vieira**
486.**Garfield numa boa (4)** – Jim Davis
487.**Mensagem** – Fernando Pessoa
488.**Vendeta** *seguido de* **A paz conjugal** – Balzac
489.**Poemas de Alberto Caeiro** – Fernando Pessoa
490.**Ferragus** – Honoré de Balzac
491.**A duquesa de Langeais** – Honoré de Balzac
492.**A menina dos olhos de ouro** – Honoré de Balzac
493.**O lírio do vale** – Honoré de Balzac
494(17).**A barcaça da morte** – Simenon
495(18).**As testemunhas rebeldes** – Simenon
496(19).**Um engano de Maigret** – Simenon
497(1).**A noite das bruxas** – Agatha Christie
498(2).**Um passe de mágica** – Agatha Christie
499(3).**Nêmesis** – Agatha Christie
500.**Esboço para uma teoria das emoções** – Sartre
501.**Renda básica de cidadania** – Eduardo Suplicy
502(1).**Pílulas para viver melhor** – Dr. Lucchese
503(2).**Pílulas para prolongar a juventude** – Dr. Lucchese
504(3).**Desembarcando o diabetes** – Dr. Lucchese
505(4).**Desembarcando o sedentarismo** – Dr. Fernando Lucchese e Cláudio Castro
506(5).**Desembarcando a hipertensão** – Dr. Lucchese
507(6).**Desembarcando o colesterol** – Dr. Fernando Lucchese e Fernanda Lucchese
508.**Estudos de mulher** – Balzac
509.**O terceiro tira** – Flann O'Brien
510.**100 receitas de aves e ovos** – J. A. P. Machado
511.**Garfield em toneladas de diversão** (5) – Jim Davis
512.**Trem-bala** – Martha Medeiros
513.**Os cães ladram** – Truman Capote
514.**O Kama Sutra de Vatsyayana**
515.**O crime do Padre Amaro** – Eça de Queiroz
516.**Odes de Ricardo Reis** – Fernando Pessoa
517.**O inverno da nossa desesperança** – Steinbeck
518.**Piratas do Tietê (1)** – Laerte
519.**Rê Bordosa: do começo ao fim** – Angeli
520.**O Harlem é escuro** – Chester Himes
521.**Café-da-manhã dos campeões** – Kurt Vonnegut
522.**Eugénie Grandet** – Balzac
523.**O último magnata** – F. Scott Fitzgerald
524.**Carol** – Patricia Highsmith
525.**100 receitas de patisseria** – Sílvio Lancellotti
526.**O fator humano** – Graham Greene
527.**Tristessa** – Jack Kerouac
528.**O diamante do tamanho do Ritz** – S. Fitzgerald
529.**As melhores histórias de Sherlock Holmes** – Arthur Conan Doyle
530.**Cartas a um jovem poeta** – Rilke
531(20).**Memórias de Maigret** – Simenon
532(4).**O misterioso sr. Quin** – Agatha Christie
533.**Os analectos** – Confúcio
534(21).**Maigret e os homens de bem** – Simenon
535(22).**O medo de Maigret** – Simenon
536.**Ascensão e queda de César Birotteau** – Balzac
537.**Sexta-feira negra** – David Goodis
538.**Ora bolas – O humor de Mario Quintana** – Juarez Fonseca
539.**Longe daqui aqui mesmo** – Antonio Bivar
540(5).**É fácil matar** – Agatha Christie
541.**O pai Goriot** – Balzac
542.**Brasil, um país do futuro** – Stefan Zweig
543.**O processo** – Kafka
544.**O melhor de Hagar 4** – Dik Browne
545(6).**Por que não pediram a Evans?** – Agatha Christie
546.**Fanny Hill** – John Cleland
547.**O gato por dentro** – William S. Burroughs
548.**Sobre a brevidade da vida** – Sêneca
549.**Geraldão (1)** – Glauco
550.**Piratas do Tietê (2)** – Laerte
551.**Pagando o pato** – Ciça
552.**Garfield de bom humor (6)** – Jim Davis
553.**Conhece o Mário?** vol.1 – Santiago
554.**Radicci 6** – Iotti
555.**Os subterrâneos** – Jack Kerouac
556(1).**Balzac** – François Taillandier
557(2).**Modigliani** – Christian Parisot
558(3).**Kafka** – Gérard-Georges Lemaire
559(4).**Júlio César** – Joël Schmidt
560.**Receitas da família** – J. A. Pinheiro Machado
561.**Boas maneiras à mesa** – Celia Ribeiro
562(9).**Filhos sadios, pais felizes** – R. Pagnoncelli
563(10).**Fatos & mitos** – Dr. Fernando Lucchese
564.**Ménage à trois** – Paula Taitelbaum
565.**Mulheres!** – David Coimbra
566.**Poemas de Álvaro de Campos** – Fernando Pessoa
567.**Medo e outras histórias** – Stefan Zweig
568.**Snoopy e sua turma (1)** – Schulz
569.**Piadas para sempre (1)** – Visconde da Casa Verde
570.**O alvo móvel** – Ross Macdonald
571.**O melhor do Recruta Zero (2)** – Mort Walker
572.**Um sonho americano** – Norman Mailer
573.**Os broncos também amam** – Angeli
574.**Crônica de um amor louco** – Bukowski
575(5).**Freud** – René Major e Chantal Talagrand
576(6).**Picasso** – Gilles Plazy
577(7).**Gandhi** – Christine Jordis
578.**A tumba** – H. P. Lovecraft
579.**O príncipe e o mendigo** – Mark Twain
580.**Garfield, um charme de gato (7)** – Jim Davis
581.**Ilusões perdidas** – Balzac
582.**Esplendores e misérias das cortesãs** – Balzac
583.**Walter Ego** – Angeli
584.**Striptiras (1)** – Laerte
585.**Fagundes: um puxa-saco de mão cheia** – Laerte
586.**Depois do último trem** – Josué Guimarães
587.**Ricardo III** – Shakespeare
588.**Dona Anja** – Josué Guimarães
589.**24 horas na vida de uma mulher** – Stefan Zweig
590.**O terceiro homem** – Graham Greene
591.**Mulher no escuro** – Dashiell Hammett
592.**No que acredito** – Bertrand Russell
593.**Odisséia (1): Telemaquia** – Homero
594.**O cavalo cego** – Josué Guimarães
595.**Henrique V** – Shakespeare
596.**Fabulário geral do delírio cotidiano** – Bukowski
597.**Tiros na noite 1: A mulher do bandido** – Dashiell Hammett
598.**Snoopy em Feliz Dia dos Namorados! (2)** – Schulz
599.**Mas não se matam cavalos?** – Horace McCoy
600.**Crime e castigo** – Dostoiévski

601(7).**Mistério no Caribe** – Agatha Christie
602.**Odisséia (2): Regresso** – Homero
603.**Piadas para sempre (2)** – Visconde da Casa Verde
604.**À sombra do vulcão** – Malcolm Lowry
605(8).**Kerouac** – Yves Buin
606.**E agora são cinzas** – Angeli
607.**As mil e uma noites** – Paulo Caruso
608.**Um assassino entre nós** – Ruth Rendell
609.**Crack-up** – F. Scott Fitzgerald
610.**Do amor** – Stendhal
611.**Cartas do Yage** – William Burroughs e Allen Ginsberg
612.**Striptiras (2)** – Laerte
613.**Henry & June** – Anaïs Nin
614.**A piscina mortal** – Ross Macdonald
615.**Geraldão (2)** – Glauco
616.**Tempo de delicadeza** – A. R. de Sant'Anna
617.**Tiros na noite 2: Medo de tiro** – Dashiell Hammett
618.**Snoopy em Assim é a vida, Charlie Brown! (3)** – Schulz
619.**1954 – Um tiro no coração** – Hélio Silva
620.**Sobre a inspiração poética (Íon)** e ... – Platão
621.**Garfield e seus amigos (8)** – Jim Davis
622.**Odisséia (3): Ítaca** – Homero
623.**A louca matança** – Chester Himes
624.**Factótum** – Bukowski
625.**Guerra e Paz: volume 1** – Tolstói
626.**Guerra e Paz: volume 2** – Tolstói
627.**Guerra e Paz: volume 3** – Tolstói
628.**Guerra e Paz: volume 4** – Tolstói
629(9).**Shakespeare** – Claude Mourthé
630.**Bem está o que bem acaba** – Shakespeare
631.**O contrato social** – Rousseau
632.**Geração Beat** – Jack Kerouac
633.**Snoopy: É Natal! (4)** – Charles Schulz
634(8).**Testemunha da acusação** – Agatha Christie
635.**Um elefante no caos** – Millôr Fernandes
636.**Guia de leitura (100 autores que você precisa ler)** – Organização de Léa Masina
637.**Pistoleiros também mandam flores** – David Coimbra
638.**O prazer das palavras** – vol. 1 – Cláudio Moreno
639.**O prazer das palavras** – vol. 2 – Cláudio Moreno
640.**Novíssimo testamento: com Deus e o diabo, a dupla da criação** – Iotti
641.**Literatura Brasileira: modos de usar** – Luís Augusto Fischer
642.**Dicionário de Porto-Alegrês** – Luís A. Fischer
643.**Clô Dias & Noites** – Sérgio Jockymann
644.**Memorial de Isla Negra** – Pablo Neruda
645.**Um homem extraordinário e outras histórias** – Tchékhov
646.**Ana sem terra** – Alcy Cheuiche
647.**Adultérios** – Woody Allen
648.**Para sempre ou nunca mais** – R. Chandler
649.**Nosso homem em Havana** – Graham Greene
650.**Dicionário Caldas Aulete de Bolso**
651.**Snoopy: Posso fazer uma pergunta, professora? (5)** – Charles Schulz
652(10).**Luís XVI** – Bernard Vincent
653.**O mercador de Veneza** – Shakespeare
654.**Cancioneiro** – Fernando Pessoa
655.**Non-Stop** – Martha Medeiros
656.**Carpinteiros, levantem bem alto a cumeeira & Seymour, uma apresentação** – J.D.Salinger
657.**Ensaios céticos** – Bertrand Russell
658.**O melhor de Hagar 5** – Dik e Chris Browne
659.**Primeiro amor** – Ivan Turguêniev
660.**A trégua** – Mario Benedetti
661.**Um parque de diversões da cabeça** – Lawrence Ferlinghetti
662.**Aprendendo a viver** – Sêneca
663.**Garfield, um gato em apuros (9)** – Jim Davis
664.**Dilbert 1** – Scott Adams
665.**Dicionário de dificuldades** – Domingos Paschoal Cegalla
666.**A imaginação** – Jean-Paul Sartre
667.**O ladrão e os cães** – Naguib Mahfuz
668.**Gramática do português contemporâneo** – Celso Cunha
669.**A volta do parafuso** *seguido de* **Daisy Miller** – Henry James
670.**Notas do subsolo** – Dostoiévski
671.**Abobrinhas da Brasilônia** – Glauco
672.**Geraldão (3)** – Glauco
673.**Piadas para sempre (3)** – Visconde da Casa Verde
674.**Duas viagens ao Brasil** – Hans Staden
675.**Bandeira de bolso** – Manuel Bandeira
676.**A arte da guerra** – Maquiavel
677.**Além do bem e do mal** – Nietzsche
678.**O coronel Chabert** *seguido de* **A mulher abandonada** – Balzac
679.**O sorriso de marfim** – Ross Macdonald
680.**100 receitas de pescados** – Sílvio Lancellotti
681.**O juiz e seu carrasco** – Friedrich Dürrenmatt
682.**Noites brancas** – Dostoiévski
683.**Quadras ao gosto popular** – Fernando Pessoa
684.**Romanceiro da Inconfidência** – Cecília Meireles
685.**Kaos** – Millôr Fernandes
686.**A pele de onagro** – Balzac
687.**As ligações perigosas** – Choderlos de Laclos
688.**Dicionário de matemática** – Luiz Fernandes Cardoso
689.**Os Lusíadas** – Luís Vaz de Camões
690(11).**Átila** – Éric Deschodt
691.**Um jeito tranqüilo de matar** – Chester Himes
692.**A felicidade conjugal** *seguido de* **O diabo** – Tolstói
693.**Viagem de um naturalista ao redor do mundo** – vol. 1 – Charles Darwin
694.**Viagem de um naturalista ao redor do mundo** – vol. 2 – Charles Darwin
695.**Memórias da casa dos mortos** – Dostoiévski
696.**A Celestina** – Fernando de Rojas
697.**Snoopy: Como você é azarado, Charlie Brown! (6)** – Charles Schulz
698.**Dez (quase) amores** – Claudia Tajes
699(9).**Poirot sempre espera** – Agatha Christie
700.**Cecília de bolso** – Cecília Meireles
701.**Apologia de Sócrates** *precedido de* **Êutifron** e *seguido de* **Críton** – Platão
702.**Wood & Stock** – Angeli
703.**Striptiras (3)** – Laerte

704.**Discurso sobre a origem e os fundamentos da desigualdade entre os homens** – Rousseau
705.**Os duelistas** – Joseph Conrad
706.**Dilbert (2)** – Scott Adams
707.**Viver e escrever** (vol. 1) – Edla van Steen
708.**Viver e escrever** (vol. 2) – Edla van Steen
709.**Viver e escrever** (vol. 3) – Edla van Steen
710(10).**A teia da aranha** – Agatha Christie
711.**O banquete** – Platão
712.**Os belos e malditos** – F. Scott Fitzgerald
713.**Libelo contra a arte moderna** – Salvador Dalí
714.**Akropolis** – Valerio Massimo Manfredi
715.**Devoradores de mortos** – Michael Crichton
716.**Sob o sol da Toscana** – Frances Mayes
717.**Batom na cueca** – Nani
718.**Vida dura** – Claudia Tajes
719.**Carne trêmula** – Ruth Rendell
720.**Cris, a fera** – David Coimbra
721.**O anticristo** – Nietzsche
722.**Como um romance** – Daniel Pennac
723.**Emboscada no Forte Bragg** – Tom Wolfe
724.**Assédio sexual** – Michael Crichton
725.**O espírito do Zen** – Alan W.Watts
726.**Um bonde chamado desejo** – Tennessee Williams
727.**Como gostais** *seguido de* **Conto de inverno** – Shakespeare
728.**Tratado sobre a tolerância** – Voltaire
729.**Snoopy: Doces ou travessuras? (7)** – Charles Schulz
730.**Cardápios do Anonymus Gourmet** – J.A. Pinheiro Machado
731.**100 receitas com lata** – J.A. Pinheiro Machado
732.**Conhece o Mário?** vol.2 – Santiago
733.**Dilbert (3)** – Scott Adams
734.**História de um louco amor** *seguido de* **Passado amor** – Horacio Quiroga
735(11).**Sexo: muito prazer** – Laura Meyer da Silva
736(12).**Para entender o adolescente** – Dr. Ronald Pagnoncelli
737(13).**Desembarcando a tristeza** – Dr. Fernando Lucchese
738.**Poirot e o mistério da arca espanhola & outras histórias** – Agatha Christie
739.**A última legião** – Valerio Massimo Manfredi
740.**As virgens suicidas** – Jeffrey Eugenides
741.**Sol nascente** – Michael Crichton
742.**Duzentos ladrões** – Dalton Trevisan
743.**Os devaneios do caminhante solitário** – Rousseau
744.**Garfield, o rei da preguiça (10)** – Jim Davis
745.**Os magnatas** – Charles R. Morris
746.**Pulp** – Charles Bukowski
747.**Enquanto agonizo** – William Faulkner
748.**Aline: viciada em sexo (3)** – Adão Iturrusgarai
749.**A dama do cachorrinho** – Anton Tchékhov
750.**Tito Andrônico** – Shakespeare
751.**Antologia poética** – Anna Akhmátova
752.**O melhor de Hagar 6** – Dik e Chris Browne
753(12).**Michelangelo** – Nadine Sautel
754.**Dilbert (4)** – Scott Adams
755.**O jardim das cerejeiras** *seguido de* **Tio Vânia** – Tchékhov
756.**Geração Beat** – Claudio Willer
757.**Santos Dumont** – Alcy Cheuiche
758.**Budismo** – Claude B. Levenson
759.**Cleópatra** – Christian-Georges Schwentzel
760.**Revolução Francesa** – Frédéric Bluche, Stephane Rials e Jean Tulard
761.**A crise de 1929** – Bernard Gazier
762.**Sigmund Freud** – Edson Sousa e Paulo Endo
763.**Império Romano** – Patrick Le Roux
764.**Cruzadas** – Cécile Morrisson
765.**O mistério do Trem Azul** – Agatha Christie
766.**Os escrúpulos de Maigret** – Simenon
767.**Maigret se diverte** – Simenon
768.**Senso comum** – Thomas Paine
769.**O parque dos dinossauros** – Michael Crichton
770.**Trilogia da paixão** – Goethe
771.**A simples arte de matar** (vol.1) – R. Chandler
772.**A simples arte de matar** (vol.2) – R. Chandler
773.**Snoopy: No mundo da lua! (8)** – Charles Schulz
774.**Os Quatro Grandes** – Agatha Christie
775.**Um brinde de cianureto** – Agatha Christie
776.**Súplicas atendidas** – Truman Capote
777.**Ainda restam aveleiras** – Simenon
778.**Maigret e o ladrão preguiçoso** – Simenon
779.**A viúva imortal** – Millôr Fernandes
780.**Cabala** – Roland Goetschel
781.**Capitalismo** – Claude Jessua
782.**Mitologia grega** – Pierre Grimal
783.**Economia: 100 palavras-chave** – Jean-Paul Betbèze
784.**Marxismo** – Henri Lefebvre
785.**Punição para a inocência** – Agatha Christie
786.**A extravagância do morto** – Agatha Christie
787(13).**Cézanne** – Bernard Fauconnier
788.**A identidade Bourne** – Robert Ludlum
789.**Da tranquilidade da alma** – Sêneca
790.**Um artista da fome** *seguido de* **Na colônia penal e outras histórias** – Kafka
791.**Histórias de fantasmas** – Charles Dickens
792.**A louca de Maigret** – Simenon
793.**O amigo de infância de Maigret** – Simenon
794.**O revólver de Maigret** – Simenon
795.**A fuga do sr. Monde** – Simenon
796.**O Uraguai** – Basílio da Gama
797.**A mão misteriosa** – Agatha Christie
798.**Testemunha ocular do crime** – Agatha Christie
799.**Crepúsculo dos ídolos** – Friedrich Nietzsche
800.**Maigret e o negociante de vinhos** – Simemon
801.**Maigret e o mendigo** – Simenon
802.**O grande golpe** – Dashiell Hammett
803.**Humor barra pesada** – Nani
804.**Vinho** – Jean-François Gautier
805.**Egito Antigo** – Sophie Desplancques
806(14).**Baudelaire** – Jean-Baptiste Baronian
807.**Caminho da sabedoria, caminho da paz** – Dalai Lama e Felizitas von Schönborn
808.**Senhor e servo e outras histórias** – Tolstói
809.**Os cadernos de Malte Laurids Brigge** – Rilke
810.**Dilbert (5)** – Scott Adams
811.**Big Sur** – Jack Kerouac
812.**Seguindo a correnteza** – Agatha Christie
813.**O álibi** – Sandra Brown
814.**Montanha-russa** – Martha Medeiros
815.**Coisas da vida** – Martha Medeiros

816.**A cantada infalível** *seguido de* **A mulher do centroavante** – David Coimbra
817.**Maigret e os crimes do cais** – Simenon
818.**Sinal vermelho** – Simenon
819.**Snoopy: Pausa para a soneca (9)** – Charles Schulz
820.**De pernas pro ar** – Eduardo Galeano
821.**Tragédias gregas** – Pascal Thiercy
822.**Existencialismo** – Jacques Colette
823.**Nietzsche** – Jean Granier
824.**Amar ou depender?** – Walter Riso
825.**Darmapada: A doutrina budista em versos**
826.**J'Accuse...! – a verdade em marcha** – Zola
827.**Os crimes ABC** – Agatha Christie
828.**Um gato entre os pombos** – Agatha Christie
829.**Maigret e o sumiço do sr. Charles** – Simenon
830.**Maigret e a morte do jogador** – Simenon
831.**Dicionário de teatro** – Luiz Paulo Vasconcellos
832.**Cartas extraviadas** – Martha Medeiros
833.**A longa viagem de prazer** – J. J. Morosoli
834.**Receitas fáceis** – J. A. Pinheiro Machado
835.(14).**Mais fatos & mitos** – Dr. Fernando Lucchese
836.(15).**Boa viagem!** – Dr. Fernando Lucchese
837.**Aline: Finalmente nua!!!** (4) – Adão Iturrusgarai
838.**Mônica tem uma novidade!** – Mauricio de Sousa
839.**Cebolinha em apuros!** – Mauricio de Sousa
840.**Sócios no crime** – Agatha Christie
841.**Bocas do tempo** – Eduardo Galeano
842.**Orgulho e preconceito** – Jane Austen
843.**Impressionismo** – Dominique Lobstein
844.**Escrita chinesa** – Viviane Alleton
845.**Paris: uma história** – Yvan Combeau
846(15).**Van Gogh** – David Haziot
847.**Maigret e o corpo sem cabeça** – Simenon
848.**Portal do destino** – Agatha Christie
849.**O futuro de uma ilusão** – Freud
850.**O mal-estar na cultura** – Freud
851.**Maigret e o matador** – Simenon
852.**Maigret e o fantasma** – Simenon
853.**Um crime adormecido** – Agatha Christie
854.**Satori em Paris** – Jack Kerouac
855.**Medo e delírio em Las Vegas** – Hunter Thompson
856.**Um negócio fracassado e outros contos de humor** – Tchékhov
857.**Mônica está de férias!** – Mauricio de Sousa
858.**De quem é esse coelho?** – Mauricio de Sousa
859.**O burgomestre de Furnes** – Simenon
860.**O mistério Sittaford** – Agatha Christie
861.**Manhã transfigurada** – Luiz Antonio de Assis Brasil
862.**Alexandre, o Grande** – Pierre Briant
863.**Jesus** – Charles Perrot
864.**Islã** – Paul Balta
865.**Guerra da Secessão** – Farid Ameur
866.**Um rio que vem da Grécia** – Cláudio Moreno
867.**Maigret e os colegas americanos** – Simenon
868.**Assassinato na casa do pastor** – Agatha Christie
869.**Manual do líder** – Napoleão Bonaparte
870(16).**Billie Holiday** – Sylvia Fol
871.**Bidu arrasando!** – Mauricio de Sousa
872.**Desventuras em família** – Mauricio de Sousa
873.**Liberty Bar** – Simenon
874.**E no final a morte** – Agatha Christie
875.**Guia prático do Português correto – vol. 4** – Cláudio Moreno
876.**Dilbert (6)** – Scott Adams
877(17).**Leonardo da Vinci** – Sophie Chauveau
878.**Bella Toscana** – Frances Mayes
879.**A arte da ficção** – David Lodge
880.**Striptiras (4)** – Laerte
881.**Skrotinhos** – Angeli
882.**Depois do funeral** – Agatha Christie
883.**Radicci 7** – Iotti
884.**Walden** – H. D. Thoreau
885.**Lincoln** – Allen C. Guelzo
886.**Primeira Guerra Mundial** – Michael Howard
887.**A linha de sombra** – Joseph Conrad
888.**O amor é um cão dos diabos** – Bukowski

Livros de Agatha Christie na Coleção **L&PM** POCKET:

Assassinato na casa do pastor
Um brinde de cianureto
Um crime adormecido
Os crimes ABC
Depois do funeral
É fácil matar
E no final a morte
A extravagância do morto
Um gato entre os pombos
A mão misteriosa
O mistério do Trem Azul
Mistério no Caribe
O mistério Sittaford
O misterioso sr. Quin
Nêmesis
A noite das bruxas
Um passe de mágica
Poirot e o mistério da arca espanhola e outras histórias
Poirot perde uma cliente
Poirot sempre espera e outras histórias
Por que não pediram a Evans?
Portal do destino
Punição para a inocência
Os Quatro Grandes
Seguindo a correnteza
Sócios no crime
A teia da aranha
Testemunha da acusação e outras peças
Testemunha ocular do crime
Os trabalhos de Hércules

SÉRIE **L&PM** POCKET **PLUS**

24 horas na vida de uma mulher – Stefan Zweig
Alves & Cia. – Eça de Queiroz
À paz perpétua – Immanuel Kant
As melhores histórias de Sherlock Holmes – Arthur Conan Doyle
Bartleby, o escriturário – Herman Melville
Cartas a um jovem poeta – Rainer Maria Rilke
Cartas portuguesas – Mariana Alcoforado
Cartas do Yage – William Burroughs e Allen Ginsberg
Continhos galantes – Dalton Trevisan
Dr. Negro e outras histórias de terror – Arthur Conan Doyle
Esboço para uma teoria das emoções – Jean-Paul Sartre
Juventude – Joseph Conrad
Libelo contra a arte moderna – Salvador Dalí
Liberdade, liberdade – Millôr Fernandes e Flávio Rangel
Mulher no escuro – Dashiell Hammett
No que acredito – Bertrand Russell
Noites brancas – Fiódor Dostoiévski
O casamento do céu e do inferno – William Blake
O coronel Chabert seguido de *A mulher abandonada* – Balzac
O diamante do tamanho do Ritz – F. Scott Fitzgerald
O gato por dentro – William S. Burroughs
O juiz e seu carrasco – Friedrich Dürrenmatt
O teatro do bem e do mal – Eduardo Galeano
O terceiro homem – Graham Greene
Poemas escolhidos – Emily Dickinson
Primeiro amor – Ivan Turguêniev
Senhor e servo e outras histórias – Tolstói
Sobre a brevidade da vida – Sêneca
Sobre a inspiração poética & Sobre a mentira – Platão
Sonetos para amar o amor – Luís Vaz de Camões
Trabalhos de amor perdidos – William Shakespeare
Tristessa – Jack Kerouac
Uma temporada no inferno – Arthur Rimbaud
Vathek – William Beckford

IMPRESSÃO:

GRÁFICA EDITORA
Pallotti
IMAGEM DE QUALIDADE

Santa Maria - RS - Fone/Fax: (55) 3220.4500
www.pallotti.com.br